江都焦理堂先生年表

蓋硯翁輯著

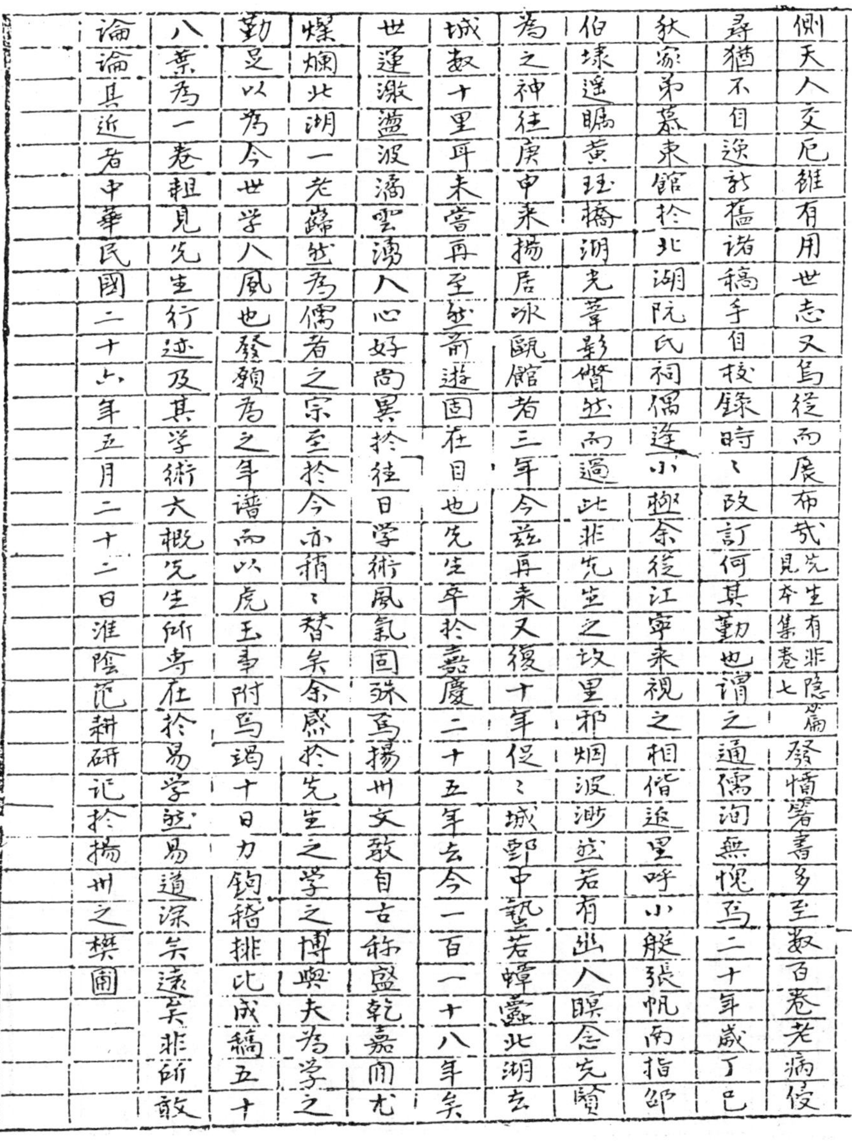

側天人交厄雖有用世志又烏從而展布哉（先生有非隱篇見本集卷七）發憤著書多至數百卷老病侵尋猶不自逸於舊諸稿手自校錄時時改訂何其勤也謂之通儒洵無愧焉二十年歲丁巳秋家弟慕東館於北湖阮氏祠偶逢小極余從江寧來視之相偕追里呼小艇張帆而指邵伯埭遥矚黄珏橋湖光葦影僧然而過此非先生之故里耶烟波渺然若有出入眼念先賢為之神往庚申來揚居冰甌館者三年今茲再來又復十年促促城郭中蟄若蟬蠹北湖去城數十里耳未嘗再至然斯遊固在目也先生卒於嘉慶二十五年去今一百一十八年矣世運激盪波濤雲湧人心好尚異於往日學術風氣固殊焉揚州文教自古稱盛乾嘉間尤燦爛北湖一老躋然為儒者之宗至於今亦稍稍替矣余感於先生之學之博與夫為學之勤足以為今世學人風也發願為之年譜而以虎玉事附焉踰十日力鈎稽排比成稿五十八葉為一卷粗見先生行迹及其學術大概先生所專在於易學然易道深矣遠矣非所敢論論其近者中華民國二十六年五月二十二日淮陰范耕研記於揚州之樊圃

自敘

余[illegible]後侃如處獲見蘇州文學山房排本雕菰樓集二十四卷附其子虎玉詩文二卷雖非珍本秘籍而字大悅目摩挲一過未遑細讀也頃篋中得文選樓叢書亦有是集板刻較遜固是初刻他本多從此出余假歸諷誦凡数過因嘆理堂先生之學之博與夫為学之勤也乾嘉之際漢学[illegible]鼎盛宋明義理之說動以空疏見斥由今觀之空疏者固非而漢学末流破碎支離亦未免違刺於大道乃當時之人群焉馳逐莫有審其非者以東原所撰孟子字義疏證及原善精思怛惻卓竝獨之徒以隱於義理竟不為世人所重学海堂經解亦不收之甚矣風氣之足以囿人也先生獨知東原精魄所存在於義理而非語学家西銘太極之義理故身為漢学而不甘考據之名撰孟子正義論語通釋以明易道亦即先生之義理也嗚呼学有宗主成一家言先生有焉（先生有辨学篇見本集卷八）先生四十以後築樓北湖足不入城以著書自娛若與世相忘者論者亦多以肥遯高逸称之余读先生書固非翁〻嗷名亦非枯寂（然遺世）者流嘗留心撫字之術思以一鄉一邑自試而困於春官僅得復失足疾時發發即不克猪

焦

著者德配萬太夫人遺像

生於1899年農曆2月21日

逝於1946年農曆2月6日淮陰水渡口老宅

享年四十八歲

著 者 遺 影

生於1894年農曆10月 8 日江蘇之淮陰

逝於1960年 7 月27日上海市

享壽六十七歲

高序

柳師劬堂嘗盛稱淮陰三范，以績學聞於南雍、伯尉曾，字耕研，號冠東，治周、秦諸子；仲紹曾，攻物理、化學；叔希曾，字耒研，初爲歸、方古文，繼爲目錄、版本之學，皆有聲於時。先兄孟起與三范同時就讀於南京高等師範，與耕研之私交尤篤，常爲余言之。民國十四年，余入南雍，每訪龍蟠里國學圖書館，猶及見耒研，繼讀其書目答問補正，更深儀其人。顧余卒業於南雍時，耒研業棄世。遭時喪亂，先兄故於行都之歌樂山，與范氏之音訊遂絕。一月前，鹽城司教授琦兄來訪，述及其鄉賢范君耕研之長公子名震者在臺，今春曾返鄉探親，攜出其父叔遺稿之倖存者如墨辨疏證、呂氏春秋補注、莊子詁義（未刊稿）、書目答問補正、南獻遺徵箋，及其父之詩詞殘存於日記中者，將輯集之，並刊爲范氏遺書，而屬其問序於余。余知耕研所著尚有文字略十卷、淮陰藝文考略八卷、韓非子札記二卷、張右史詩評二卷、宋史陸秀夫傳注一卷，均於所謂「文化大革命」時燬於紅衛兵之手；其子恐其父叔之心血所注，若再亡佚，將何以對先人於泉下，乃有遺書之印。其孝思之誠篤，在今日不可多見，實足以風世而正俗矣，因樂而爲之序。

中華民國七十八年三月高郵高明謹撰於木柵之雙桂園

湯序

江都焦循氏，字理堂，清乾隆舉人，於學無所不通，於經無所不治；隱居不仕，殫精著述。計有易通釋、易章句、孟子正義、尚書補疏、天元一釋、開方通釋、雕菰樓集等書傳世，誠爲對中華文化貢獻極偉之一代大儒。唯其如此一位瑰瑋人物，竟無年表以述其學程與思序，則不能謂其非爲學術史上之一憾。淮陰范耕研公有鑒於此，乃遍讀焦氏所有著述，復依其著述之年次月次爲之編纂「江都焦理堂先生年表」，則其義氣之悃與用心之惇，俱可畢見矣。由此年表不獨可以窺知焦氏治學之心路與歷程，亦可尋得其治學之門徑與方法；以此則知焦范二公裨益於後學士子之極深且重，而影響於後世者亦必極久且遠也。

此表撰成於中國對日抗戰之前，戰時又作補充與修正，勝利後，繼之以戡亂，時局多艱未遑付梓，旋即大陸沉淪，此稿亦因之淪陷。幸耕研公哲嗣范震先生於年前返鄉探親，因得攜出，鬮資刊行，承志述業，彌足告慰於耕研公在天之靈也。

耕研公字尉曾，號冠東，國立南京高等師範學校（國立中央大學前身）畢業，亦「於學無所不通，於經無所不治」；譽聞於江蘇省立揚州中學校長周厚樞星北先生，特趨禮聘爲教席，揚州中學有如台灣之建國中學，耕研公得以積學以作育英才，誠感樂莫大焉。歷以時日，譽望日隆，上海暨南大學乃聘爲教授，旋復應聘於蕪湖師範學院。得道於心以傳之，劭業於書以授之；諸生咸爲孺慕，同仁多爲稱道，其樂亦因之愈增焉。教育事業之益人益己與可大可久有如此者，宜其爲賢者所終身樂執之千秋盛職也。范震先生字剛侯，習醫於國防醫學院牙醫學系，爲人尚義好施，踔厲風發，頗具其遠祖范文正公之風。夫人黃菊女士亦供職醫業，育有男公子二，女公子一，男者一習化學，一習電機，俱留美修習高級學位中，女公子正就讀國立台灣大學植物病蟲害學系。其爲人者，對親篤於孝，對友篤於義，以至其子女皆賢俊，不亦宜乎。

爲年表作序而述及范震剛侯先生者，蓋以無耕研公之篤於義，則年表無由撰成；無范震先生之篤於孝，則年表無由問世也。與剛侯兄乃投心之交，蒙其交閱初稿，因得拜讀之，有感而發，乃樂爲之序。

湯　承　業　於台北市南港區
中央研究院中山人文社會科學研究所
中華民國　八十　年　九　月十二日

自敘

余從侃如處，獲見蘇州文學山房排本，雕菰樓集二十四卷，附其子虎玉詩文二卷，雖非珍本祕籍，而字大悅目，摩挲一過，未遑細讀也。頃校中得文選樓叢書，亦有是集，板刻較遜，固是初刻，他本多從此出；余假歸，諷誦凡數過，因嘆理堂先生之學之博，與夫爲學之勤也。乾嘉之際漢學鼎盛，宋明義理之說，動以空疏見斥，由今觀之，空疏者固非，而漢學末流，破碎支離，亦未免違刺於大道。乃當時之人，群焉馳逐，莫有審其非者。以東原所撰孟子字義疏證及原善，精思怛惻，卓然獨立，徒以鄰於義理，竟不爲世人所重；學海堂經解亦不收之。甚矣！風氣之足以囿人也。先生獨知東原精魄所屬在於義理，而非講學家西銘太極之義理。故身爲漢學，而不甘考據之名，撰孟子正義、論語通釋，以明易道，亦即先生之義理也。嗚呼！學有宗主，成一家言，先生有焉（先生有辨學篇見本集卷八。）先生四十以後，築樓北湖，足不入城，以著書自娛，若與世相忘者；論者亦多以肥遯高逸稱之。余讀先生書，固非翕翕噉名，然亦非遺世枯寂者流，嘗留心撫字之術，思以一鄉一邑自試，而困於春官，佹得復失。足疾時發，發即不克轉側，天人交厄，雖有用世志，又烏從而展布哉！（先生有非隱篇見本集卷七。）發憤箸書，多至數百卷，老病侵尋，猶不自逸，新舊諸稿，手自校錄，時時改訂，何其勤也；謂之通儒，洵無愧焉。二十年前，歲丁巳秋，家弟慕東館於北湖阮氏祠，偶逢小極，余從江寧來視之，相偕返里，呼小艇張帆，南指邵伯埭，遙矚黃玨橋，湖光葦影，瞥然而過，此非先生之故里邪？煙波渺然，若有幽人，瞑念先賢，爲之神往。庚申來揚，居冰甌館者三年，今茲再來，又復十年，促促城郭中，蟄若蟑蠹，北湖去城數十里耳，未嘗再至，然所遊固在目也。先生卒於嘉慶二十五年，去今一百一十八年矣，世運澈盪，波譎雲湧，人心好高，異於往日，學術風氣固殊焉。揚州文教，自古稱盛，乾嘉間尤燦爛；北湖一老，巋然爲儒者之宗，至於今亦稍稍替矣。余感於先生之學之博，與夫爲學之勤，足以爲今世學人風也，發願爲之年譜，而以虎玉事附篤。竭十日力，鉤稽排比，成稿五十八葉，爲一卷，粗見先生行跡，及其學術大概。先生所專在於易學，然易道深矣！遠矣！非所敢論，論其近者。

中華民國二十六年五月二十二日
淮陰范耕研記於揚州之樊圃。

編輯例言

一、此年表成於民國二十六年（公元一九三七年）五月二十二日，旋受日寇侵華影響，其稿隨同先父多處避難，復於二十八年（公元一九三九年）八月二十二日重抄。連年戰亂，少有定時，故未得再行細校，爲免散失，纂爲藟硯齋叢書之七。其中譌脫，敬請大雅君子賜正是幸。

二、編排方式徹照原稿。其中參考之文，有節錄、有摘錄、亦有全錄者，取理堂先生之發明精義及特創見解也。先父之注釋均用雙行小字按注之。

三、除年表外，另附里堂先生著書目、焦氏世系圖及節本（曾載於江蘇省立揚州中學十週年紀念刊）。

四、復見先父遺物中有江蘇省淮陰縣蘇北日報之學林週刊，由先父於民國二十六年六月所著讀焦里堂先生纂孟日記一文，其中又有發明，遂亦添印爲「附錄四」。

五、請中央研究院中山人文社會科學研究所湯承業博士加註標點。中央大學中文系楊安芝教授及台灣師範大學數學系王詩頌教授釋疑。並由盧百生兄加註公元年代。另參考楊家駱主編雕菰集核對，惜缺焦廷琥著書，致部份未校。

六、仍如前輯，恭印先父、母遺影暨先父手錄自敘之遺墨以爲紀念。

民國八十年十二月江蘇淮陰范　震恭輯

於台北市信義區林口街九十三號三樓

電話：（〇二）七二八五一五二・八九五六三〇〇

江都焦理堂先生年表目次

江都焦理堂先生年表

後學淮陰范耕研伯子輯

先生姓焦氏，名循，字理堂，世居江都黃珏橋，分縣爲甘泉人。阮元研經室集，通儒揚州焦君傳。

先生雕菰樓集先考事略：吾族自永樂間聚處於湖，分上下兩莊，今惟吾屋尚存。

江藩漢學師承記：焦里堂，名循，一字理堂，江都人，家黃子湖。按黃珏橋在黃子湖南，白茆湖北，見焦廷琥蜜梅花館文錄，白茆草堂記。

高高祖，文科：

先生先考事略：先考嘗謂循曰：『吾家世世以忠厚退讓爲法！吾高祖仰湖公，諱文科，爲江都刑房吏，以慈祥稱，未嘗妄受一錢，今西分一派，人丁蕃衍，皆修德所致也。』

高祖明暘：

先生先考事略：吾曾祖震鳴公，行二，諱明暘，與諸弟析居，既而諸弟疑其產厚，索承分田補之，公即如索不校。

曾祖源，妣卞孺人：

先生先考事略：吾祖母卞孺人，生於饒裕，幼年惟知作書及畫，既而歸吾祖文生公，公行五，諱源，諸嫂姨孺奩厚，迫之析爨，而遺以先世債負，孺人盡以釵珥償債，時僅薄田數十畝，與文生公躬耕自給，並徵高壽，子孫林立，家業復舊，時以錢穀周恤諸姪，不念舊憾，親戚鄉鄰，至今奉爲家範。

阮元焦君傳：曾祖源，江都縣學生，爲周易之學。

先生先妣謝孺人事略：孺人嘗曰：『先祖姑卞孺人，最深於詩　晚年以爲戒，後世婦女宜守之勿忘！』

焦廷琥白茆草堂記：余家有湖干草堂，爲先高祖父文生公讀書處，即今半九書塾。

祖鏡，妣王孺人：

先生先考事略：爾祖鑑千公，諱鏡，嘗元旦衣冠謁關聖廟，路遇族中無賴子窘辱，至汙毀其帽，人以爲必結訟，公歸易帽而出，明日無賴子自愧請罪，公念其貧，且厚給之。

阮元焦君傳：祖鏡，父葱，皆方正，有隱德，傳易學。

父葱，妣謝孺人，生妣殷孺人：

先生先考事略：先考諱葱，字佩士，妣王氏爲明吏部觀濤先生（諱納諫）之元孫女。王氏世以易名家傳，至曾孫祖修以通儒爲明經。以易經授徒。先考爲明經外孫，得聞王氏説易之法。以咯血病，應小試一次，即納粟爲太學生。女兄二人，長適史，無子而孀，爲之置田；次適徐，早卒，遺孤女，教育婚嫁如己出。母舅之子容若，貧而無子，飲食之五十餘年；好善樂施予，族姓親戚，有待以舉火者，死喪濟以棺歛之費，於孀婦、孤子周之尤力；乾隆三十三年，歲饑，出粟以濟；先考承祖遺田八、九百畝，以施故，家漸落，不懈也。嘗還券減租，有戚將賣屋，先考艴然曰：『我豈逼人賣屋錢也！』卒不取。家既中落，復屢值荒歲，將賣田以償債。適戚有喪，悵然曰：『吾尚有田賣。』分而予之。先考性情和易，無疾言厲色，橫逆至，受而不報。有代行譎，人以實告，先考戒家人勿使某知，恐其自愧。有牛豕，族人賣之，先考無一言，待之如常。器物與戚友共之，有椅十二，族人借置十年，己屋中轉無有也。先考口不詣譃，足不履非禮之地，嘗渡江幾覆，同舟者曰：「豈有方正如焦某而沈於江者！」娶謝孺人，又納循生母殷孺人，殷孺人生循，及循弟律、徵。孫廷琥、廷纗，循出。廷琮，律出。廷鐵，徵出。纗與鐵皆殤。

先生孟子正義：先曾祖、先祖考、先考，世傳王氏大名先生之學。

焦廷琥修王大名先生墓記：先生名方魏，字大名，明員外郎納諫之孫也，世居北湖。父玉藻，崇正進士，官慈谿縣知縣。甲申之變，起兵江上，明年浙東破，黃冠行遯。先生遵父命，閉戶窮經，足不入城市，一鄉之士，重其道，稱曰「大名先生」。生平於宋儒之學最精，著述皆散失，存者惟周易纂解一卷。子祖修，歲貢生，爲琥曾祖母之父，先大父以是得聞王氏之學。

先生先妣謝孺人事略：先妣謝孺人，父諱銓，叔父諱天齊。叔母虞無出，養孺人爲女，同母兄玉來早卒，嫂范，善鼓琴，多識前言往行。孺人與嫂最親厚，每歲迎之同處，孺人不自逸，時呼循生母共績麻枲。孺人讀書而不作詩，曰：『詩非婦人事也。』

先生先妣殷孺人事略：吾母殷太孺人，以乾隆甲戌事我府君，兼納陳，陳性憨多詐，嫉吾母，或以去諷吾母，母曰：『不可。婦人從一，吾去焉歸？我姑避之。』宅西北有茅屋，母與兩孀嫗居之，習爲田事，盡諳其利病，而能其勞瘁。謝孺人益重吾母之賢，亟迎歸，明年生一女，未幾殤。按先生先世事實詳見北湖小志卷六，茲從雕菰樓集中剌取其略云爾。

乾隆二十八年，癸未，（公元一七六三年）先生一歲。

是年二月三日先生生，乳名橋慶。

阮元焦君傳：君生乾隆癸未二月三日。

先生書徐文長集後：夢嫡母自門外至，如幼時撫摩鞠育，呼乳名曰「橋慶」。

乾隆二十九年，甲午，（公元一七六四年）先生二歲。

乾隆三十年，乙酉，（公元一七六五年）先生三歲。

先生三、四歲即穎異，嫡母謝孺人撫育之。

阮元焦君傳：君生三、四歲即穎異。按廷琥撰事略，謂先生三歲時，即指門聯，以裁爲栽之誤，謝孺人遂口授以唐人絕句詩云。

先生書徐文長集後：循三歲，依嫡母謝孺人，至十六歲未暫離。

先生先妣謝孺人事略：循三歲，謝孺人撫育之至十五歲，凡十有二年，寢食未嘗離側。循幼多疾，謝孺人懷抱行，十四夜不寐，足盡腫。婢嫗請代，孺人曰：『先姑在日，望孫不得，臨終以是爲憾，今得兒，安委若輩乎！』

乾隆三十一年，丙戌，（公元一七六六年）先生四歲。

弟律生。

先生先妣謝孺人事略：循生於癸未，越三年丙戌，弟律生。

乾隆三十二年，丁亥，（公元一七六七年）先生五歲。

乾隆三十三年，戊子，（公元一七六八年）先生六歲。

先生始入塾讀書

先生半九書塾後記：余葺半九書塾。先是，乾隆戊子，余始入塾讀書，先子以地卑濕，計增廣之，並構亭於竹中，時族人以屋來售，先子留劵，與値，資其瓦木，爲修葺用。然族人固聚居於屋也，不忍令他去，亦不索原値，而書塾遂亦不復增廣。

焦廷琥先府君事略：六歲受業於范秋帆先生，授以詩、辨別音韻。

先生先考事略：乾隆三十三年，歲饑，先考出粟以濟。循時六歲，及見之。

先生毛詩鳥獸草木蟲魚釋自序：循六歲，先君子命誦毛詩。未幾隨省墓，泛舟湖中，先君子指水上草，謂循曰：『是所謂參差荇菜，左右流之者也。』已而讀論語，至多識於鳥獸草木之名，私心自喜，遂時時俯察物類，以求風人之旨。

乾隆三十四年，己丑，（公元一七六九年）先生七歲。

乾隆三十五年，庚寅，（公元一七七〇年）先生八歲。

是年先生長妹生，阮賡堯以女字先生。

先生先妣謝孺人事略：又四年，庚寅，長妹生。

阮元焦君傳：八歲至公道橋阮氏家，與賓客辨壁上馮夷字，曰：『此當如楚辭讀皮冰切，不當讀如縫。』阮公賡堯大奇之，遂以女字之。

乾隆三十六年，辛卯，（公元一七七一年）先生九歲。

先生表叔王容若墓志銘：循十歲前，日夕相依，君時說古人孝弟忠烈故事，暇時教以書數，循之習九九實始於君。

乾隆三十七年，壬辰，（公元一七七二年）先生十歲。

是年先生次妹生。

先生先妣謝孺人事略：又二年壬辰，次妹生。

先生范氏墓表：循祖父生三女，季適范，名之瑤，子徵麟，字彬文，號秋帆，甘泉學生。循自幼受業於彬文師，師善爲歌詩，每日吟咏不輟，處赤貧，以舌耕養父母，未嘗干人。性好山水，值省試，清晨出游牛首山，忘攜錢，忍飢終日，其興勃然。循從師七年，師授以騷、賦、古文。年十七，以詩賦受知於劉文清公，師之賜也。

乾隆三十八年，癸巳，（公元一七七三年）先生十一歲。

乾隆三十九年，甲午，（公元一七七四年）先生十二歲。

弟徵生。

先生先妣謝孺人事略：甲午弟徵生。

先生刻詩品序：余幼年十二、三歲時，好爲小詩。先君以詩品示之，曰：『作詩必知詩之品，讀詩品，又必知作詩品者之品。司空氏立身清潔，不受僞梁之汙，李唐詩人，罕有其匹者也。』循受而錄之，藏諸篋中二十餘年。

焦廷琥先府君事略：府君云：『余十二、三歲，讀三蘇文，即解爲論序。』

乾隆四十年，乙未，（公元一七七五年）先生十三歲。

乾隆四十一年，丙申，（公元一七七六年）先生十四歲。

先生承家學，幼年好易。

先生易通釋自序：循承祖父之學，幼年好易，憶乾隆丙申夏，自塾中歸，先子問日所課若何？循擧小畜彖辭，且誦所聞於師之解。先子曰：『然所謂密雲不雨自我西郊者，何以復見於小過之六五！童子宜有會心，其思之也。』循於是反復其故，不可得，推之同人、旅人之號咷，蠱、巽之先甲後甲，先庚後庚，明夷、渙、之拯用馬壯吉，益憒塞鬱滯，悒悒於胸腹中，不能自釋。聞有善說易者，就而叩之，無以應也。

乾隆四十二年，丁酉，（公元一七七七年）先生年十五歲。

乾隆四十三年，戊戌，（公元一七七八年）先生年十六歲。

習爲詩、古文辭。

雕菰集目錄跋：自乾隆戊戌、己亥、習爲詩，古文辭。

乾隆四十四年，己亥，（公元一七七九年）先生年十七歲。

是年先生補學生員，秋應省試。

阮元焦君傳：年十七，劉文清公取補學生員。

先生感大人賦序：乾隆己亥，夏五月，諸城劉文清公，時以侍郎督學江蘇，按部至揚州，循年十七，應童子試。公課士簡肅，惡浮僞之習，試經與詩賦，尤慎重，用是，試者甚罕。循幼從范先生學詩、古文辭，至是往試，公取爲附學生。覆試日，公問「韞𪓐」二字何所本？循以文藪桃花賦對，謹述其音義。公喜曰：『學經乎？』循對曰：『未也。』公曰：『不學經，何以足用？爾盍以學賦者學經！』顧謂教授金先生曰：『此子識字，令入郡學以付汝。』詢循所寓遠，令巡官執炬送歸寓。明日，公竭，復呼循至前曰：『識之，不學經無以爲生員也。』循歸，乃屏他學而學經。循之學經，公之教也。

先生顧小謝傳：小謝名鳳毛，字超宗，小謝別字也，揚州興化縣人。父九苞，通經名儒。超宗幼聰俊，十一歲能解說經書，十八歲己亥五月，余與超宗同入學。

阮元焦君傳：興化顧超宗，傳其父文子之經學。超宗與君幼同學，君始用力於經。

先生朱文正公神道碑後記：己亥，范華春歸里，偕余應秋試，渡江。

先生己亥金陸道中詩：「紛紜蝠燕競如何？只有秋光極目多！」

先生登雞鳴埭詩：「結伴得佳興，思親生舊愁。」注己亥隨先人游此。

乾隆四十五年，庚子，（公元一七八〇年）先生年十八歲。

是年先生娶婦。

先生先妣謝孺人事略：循年十八娶婦。

先生阮湘圃先生別傳：循未弱冠時，極爲婦翁阮賡堯太學所愛，時時呼至齋閣爲文章。芸臺中丞時方應童子試，每來鄉、亦以文爲會。

乾隆四十六年，辛丑，（公元一七八一年）先生年十九歲。

始究毛詩、爾雅。

先生詩益序：詩益者，金壇劉君始興所著也。乾隆辛丑，余始有志於經學，自毛詩始。適試於泰州，購之市閒。繼而又得桐城葉氏酉詩經拾遺，則云述劉子彥之說，子彥即始興之字也。

先生毛詩鳥獸草木蟲魚釋自序：辛丑壬寅閒，始讀爾雅，又見陸佃、羅願之書，心不滿之，思有所注述，以補兩家所不足，創稿就而復易者三。

乾隆四十七年，壬寅，（公元一七八二年）先生年二十歲。

肄業安定書院，子廷琥生。

焦廷琥先府君事略：壬寅，吉渭巖先生來主安定書院講席，府君往謁，先生勉以經學。

按先生有安定書院題壁詩，謂其時同舍生有顧超宗、團香山、王東山。

先生先考事略：琥生四歲，先考始卒，蓋四十外始得循，猶及見孫。

先生先妣謝孺人事略：循生子虎兒，孺人抱持之如抱循。

先生孟子正義：弱冠即好孟子書，立志爲正義以學，他經輟而不爲。

乾隆四十八年，癸卯，（公元一七八三年）先生年二十一歲。

母謝孺人病噎旋愈。

先生先妣殷孺人事略：乾隆癸卯春，謝孺人病噎，臥床兩月餘，吾母（殷孺人）侍疾謹。謝孺人出釵珥衫服，語吾母曰：『此先翁姑給我，使爲婦，今授君。』已而謝孺人病愈。

乾隆四十九年，甲辰，（公元一七八四年）先生年二十二歲。

習種痘術於程翁，補廩膳生。

先生種痘書序：海上程翁，名維章，精種痘之術，與先君子最交善，始結廬黃玨橋市，晨夕相過從。或寓余家，余叩以種痘之術，翁遺一書，然繁瑣，不足以盡其神也。乾隆甲辰乙巳閒，復以疑義就正，翁稍稍論及之，其說極平易，亦極神奇。嘗爲兒孫種以所目，驗證翁之說，有不爽者。向時曾述翁之言，爲種痘書十篇，今更以所目驗者箋之，以遺里黨，俾知種痘之至順至吉，勿爲他說所惑也。

阮元焦君傳：年二十二，補廩膳生。

焦廷琥先府君事略：甲辰冬十月，少宰謝金圃先生督學，歲試揚州，重經學，府君往試，得拔取食廩餼。

先生顧超宗小傳：余與超宗同入學，已而同食餼，明年與超宗同丁大故。

乾隆五十年，乙巳，（公元一七八五年）先生年二十三歲。

是年四月，先生父卒，九月嫡母謝孺人卒。

先生半九書塾後記：乙巳春，先子疾作，筮之不吉，盡取人所欠劵焚毀之，而屋劵亦焚。（按謂族人所築之屋）夏四月，先子卒，族人遠賈於外，急歸，余語以前事不諱，乃先人買屋之事人知之，劵之焚，人不知也。

先生先考事略：先考生於康熙壬寅正月十六日，卒於乾隆乙巳四月二十九日，年六十有四。卒之前年，自筮之，知數將盡，取人所負之劵毀諸火，負於人者償之。

先生先妣殷孺人事略：乙巳四月，吾府君卒，謝孺人傷之致疾，至九月亦卒。病中脊骨苦痛，吾母以兩手承之，月餘，腕腫如瓠。既卒，吾母以所受釵衫盡納於棺曰：『昔重違孺人意，姑受耳！』

先生書徐文長集後：乾隆乙巳，嫡母以滯下，病不起，時余年二十有三。

先生顧小謝傳：余與超宗同食餼，明年皆丁大故，超宗時時來湖中，居半九書塾中，抵足夜語。蓋不徒益余學問，而規正處己接物之道，不愧諒直多聞也。

阮元焦君傳：年二十二，補廩膳生，次年丁父暨嫡母謝艱。自殮及葬，八閱月未嘗櫛沐，食臥不離喪次，甚哀毀。

先生先考事略：乙巳冬，十二月二十四日，與謝孺人合葬於本宅東數十步。

先生弔松賦序：余齋閣前松一株，先人手植也，歷四十年，高三丈，離宅數里即見之；乙巳先人捐館舍，松乃憔悴，三年漸死。余自外歸，家人驚告，繞樹視之，淚下沾襟，謹陳茶果，祭而弔之。

先生易通釋自序：乙巳丁憂，輟舉子業，乃徧求說易之書閱之，於所疑皆無所發明。

乾隆五十一年，丙午，（公元一七八六年）先生年二十四歲。

歲大饑。

先生修葺通志堂經解後序：乾隆丙午，連歲大饑，余疊遭凶喪，負擔日迫於門。有良田數十畝，爲鄉猾所勒買，得價銀僅數十金，時米乏，食山薯者二日，持此銀不忍去，適書賈以此書至，問售，需值三十金，謀諸婦，婦脫簪，易銀得十二金，合爲二十七金。賈曰：『可矣！』歲歉寡購書者，而棄書之家，急於得值也。余以田去而獲書，雖受欺於猾，殊自懌也。按序又謂此書原缺八種，次第購補，又成全帙，後稍稍損壞，嘉慶三年，補葺後次序爲目錄一卷云。

乾隆五十二年，丁未，（公元一七八七年）先生二十五歲。

授徒城中壽氏宅，是年始用力於算學。

先生書徐文長集後：丁未，始授徒於城中壽氏宅，甫之館之夕，夢嫡母自門外至，如幼時撫摩鞠育，呼乳名曰：『橋慶被薄，吾憂爾寒。』急開目無所見，一燈在几上尚明。

先生毛詩地理釋自序：乾隆丁未，館於壽氏之鶴立堂，偶閱王伯厚詩地理考，苦其瑣雜，無所融貫，更爲考之，未及成書。

先生毛詩鳥獸草木蟲魚釋自序：丁未館於城東壽氏，復改定之。

先生後漢書訓纂序：後漢書訓纂者，元和惠徵士棟所著書也。歲丁未，余授徒城中，與汪君晉蕃之居近，晉蕃家多藏書，每借閱，而是書與焉。

先生顧小謝傳：丁未同在郡城，時時相過，或同床寢，嘗月夜煮菱烹茗，譚論至三鼓。

焦廷琥先府君事略：丁未，府君館於壽氏之鶴立齋。顧超宗先生以梅氏叢書贈府君曰：『君善苦思，可卒業於是也。』是年爲用力算學之始。

乾隆五十三年，戊申，（公元一七八八年）先生年二十六歲。

仍館壽氏宅，是年顧超宗沒，爲理其喪。

先生王處士周易纂解序：處士王薌城先生隱居教授，著有周易廣義，以本義太略，申其說而廣之也。纂解者，明太極陰陽爻象占變大旨，凡五篇附廣義後。先生之曾孫容若，循自入小學，借讀先生遺書，乞之再三，始見纂解一冊，未一月遺秩盡焚，而此冊以循借獨存。戊申春二月焦循序。按借讀事，不知在何年，依作序之作，繫之於此。

先生亡友汪晉蕃傳：乾隆丁未戊申閒，余館於壽氏，與汪氏兄弟交，蕃藩、掌廷時興化二顧（超宗、仲嘉）亦讀書郡城中，往來譚藝，契若金石。汪容甫曰：『晉蕃長者也，可與論文。』余嘗冬夜與晉蕃飲容甫齋閣，快論至三鼓，雪深二尺許，容甫酣臥榻上。睨曰：『他人不易有也。』

先生顧小謝傳：戊申夏月，超宗病瘧。超宗素讀古醫書，泥其方，自用藥。及冬十一月，遊吳中歸，忽變哮喘，遂歿於郡城王君思雷家，年二十有七。醫藥棺衾哭泣，王君不以爲忌，且多方謀之，君子以爲長者王君也。按廷琥撰事略，謂王君誠長者，然是時，先生實左右之，且多方謀之，未嘗自言也。

阮元焦君傳：超宗歿，君理其喪。按先生經學受顧文子之影響甚深，而算學之研究又自超宗啓之，故於超宗之死，眷眷不忘，旣作招亡友賦，又作詩哭之也。

乾隆五十四年，己酉，（公元一七八九年）先生年二十七歲。

乾隆五十五年，庚戌，（公元一七九〇年）先生年二十八歲。

館於深港卞氏宅，是冬嘔血幾死。

先生江處士手札跋：乾隆庚戌，余館於深港卞氏宅，嘗撰群經宮室圖五十篇，是冬嘔血幾死，遂梓之，疏漏所不免也。

先生復江艮廷處士書：循所爲群經宮室圖一書，乃庚戌年授徒深港時所作，旣而病嘔血，醫者以爲中死法，同學及門人輩以此付刻。

阮元研經室集群經宮室圖序：二卷凡九類：曰城、曰宮、曰門、曰屋、曰社稷、曰宗廟、曰明堂、曰壇、曰學；圖所不詳，復爲說附於後。其所言似創而通，得夫經之意，用力可謂勤矣。圖中新定路寢之制，吾友凌次仲移書爭之，元謂「里堂所抒者心得也，次仲所持者舊說也。昔許氏爲五經異義，而鄭君駁之，何氏爲公羊墨守，而鄭氏發之究之，各成其是，於叔重劭公無損也。」按阮序，撰於乾隆五十八年，別有馮集梧一序，撰於嘉慶五年，不錄。

先生復蔣徵仲書：所說過位及立不中門二條，已舉其略，入群經宮室圖中。去年夏閒，江艮庭先生來書辨此二條之誤，僕當以書復之。秋末，又有書來，僕念草野著書，各信所是，非可用以相攻詰，遂受之，不復置辨。然而私意則辨之久也。爾雅位與宁並舉，則訓曰中庭左右，說文亦以中庭左右爲位。是位之名，實有其地可指。君所立門屏之閒，自名宁，不名位。孔子謂門有一臬，賈氏謂門有二臬。曲禮立不中門，注云，「中門根臬之中央。」。言根臬之中央，未始非兩根兩臬之中央。玉藻闔門左扉，立於其中，可知扉屬於門，願察而正之，江公處不復與辨，恐徒滋口說也。

先生江處士手札跋：吳中處士江君艮庭聲以書規之，規之有未協，至於往復辨論焉，嗚呼！人有撰述，以示於人，能移書規之，必此書首尾皆閱之矣。是親我重我，因而規之，其規之當，則依而改之；其規之不當，則與之辨明。不敢不布之以誠，非惡夫人之規我而務勝之也。處士兩書，皆用許氏說文體，手自篆之，工妙無一率筆，久珍而藏之篋，恐子孫不知，特表明之。按艮庭喜作古字，先生初撰宮室圖，亦多存古文，後乃悔之，今刻本已改用楷體矣。以上諸文，皆非是年作，因與宮室有關，故連類繫之於此。

先生答黃春谷論詩書：庚戌辛亥，始識吾子。

乾隆五十六年，辛亥，（公元一七九一年）先生年二十九歲。

館於牛氏。

焦廷琥先府君事略：庚戌館於卞氏，明年館於牛宅，牛故揚州司馬居郡城，以詩酒自娛，好賓客，府君以病軀，時時就之，識吳郡周君采巖，效其作工筆畫。

乾隆五十七年，壬子，（公元一七九二年）先生年三十歲。

館於郡城鄭氏，九月子廷繡生。

焦廷琥先府君事略：又明年，館於郡城鄭氏。

先生鄭舍人文集序：鄭柿里舍人，篤好昌黎文，手寫其集，能道其宦奧隱微之蘊。於乾隆壬子癸丑閒，以此事相劘切。當是時，余學柳州，嗜好微異，然而用力於此，思有以彰大而振興之，則無不同。

阮元焦君傳：君又善屬文，愛柳柳州文，習之不倦，謂唐宋以來，一人而已。後人多斥柳州爲王叔文黨，君爲雪之。且曰：『田山薑古歡集，馮山公、王西莊兩先生於叔文事，皆立論平允。』足洗不讀書者，隨聲附和之陋習。

先生兩君詠序：江都黃春谷承吉、甘泉李濱石鐘泗年相若、才器亦同，皆善余，乾隆壬子癸丑閒，時共詩酒，晨夕相見。乙卯後，余餬口四方，蹤跡少疏，然歸則必聚。

先生後漢書訓纂序：壬子秋，復於晉蕃借閱，細爲校定，體仿史記索隱，而精核過之，世所傳十五卷者，乃膺本，非其眞也。按先生孟子正義，有引惠氏此書者。

先生殤孫冢誌：余少子廷纁，生於乾隆壬子九月。

焦廷琥與徐雪廬先生論詩書：廷琥年十一，家君授以唐人絕句法，由絕句而律詩、而古體，遂好作詩。按是年，虎玉十一歲，故繫於此。

乾隆五十八年，癸丑，（公元一七九三年）先生三十一歲。

先生上王述庵侍郎書二：歲癸丑，曾以所刻群經宮室圖一函，交方文學仕煌呈覽。

先生上王述庵侍郎書一：前年閣下以按事至高郵、句容，道經江都，晤汪員外對琴先生，按晉蕃父言於京師，見焦某所爲文，眷眷問循學業，前月在安定書院中，見方君仕煌，言閣下告假歸里，遍求當世名士，又計及於循，謹以所刻群經宮室圖一函呈覽。

乾隆五十九年，甲寅，（公元一七九四年）先生年三十二歲。

先生表叔王容若墓志銘：乾隆五十九年秋七月，表叔王容若卒於吾家之半九書塾，年七十二。循及弟妹幼年，君皆抱持飲食，及循生子女，君又抱持飲食之。壯年多力，善拳勇，好理鄉黨閒不平事，居余家五十年。

先生加減乘除釋自序：名起於立法之後，理存於立法之先，理者何？加減乘除之錯綜變化也；而四者之雜於九章，不啻六書之形聲雜於各部。蓋九章不能盡加減乘除之用，而加減乘除可以通九章之窮。不揆淺陋，本劉氏徽之意，以加減乘除爲綱，以九章分注而辨明之，草創於甲寅之秋，明年爲齊魯遊，遂中輟。按至嘉慶二年補成，先生是書，不用古代九章分類，而以加減乘除統之，謂可以簡馭繁。然轉致每題各立一法，頭緒愈紛，益無條貫，去其初旨遠甚。至其論列數理，益人神智，與近世數理通論略相似，又如所謂混合算學者，世之疇人，亦可覽也。

乾隆六十年，乙卯，（公元一七九五年）先生年三十三歲。

阮元督學山東，招先生往，秋，又隨阮元赴浙江。

阮元焦君傳：歲乙卯，元督學山東，招君往遊，遂自東昌至登州，有山左詩鈔一卷。按乙卯正月，由東昌至臨清，二月至濟南，遊佛峪龍洞，閏月至青州，三月至登州，登蓬萊閣，四月由萊回濟南，五月歸揚州，見廷琥撰事略。

先生武虛谷先生手札跋：乾隆乙卯春二月，余客臨清校士館，有客自外至，長八尺餘，破帽羊裘，白鬚蕭蕭然，坐與道名姓，乃知偃師武君虛谷，名億，耳聞之久矣。

先生阮湘圃先生別傳：乾隆乙卯春，嘗從先生登佛峪龍洞，先生教以乘馬法，稍稍習之，至險阻則踊躤驚愕，而先生控縱自如。

先生與孫淵如觀察論考據著作書：大作問字堂集，復袁太史一書，力鋤謬說，拜服拜服。惟著作考據之說，似有未盡，循謂仲尼之門，見諸著述者曰文學，周秦至漢均謂之學，或謂之經學，漢時各傳其經，即各名其學，無所謂考據也。諸子則名曰某家者流；有兼之者，則曰通某經；善屬文則曰通某經百家之書；未聞以通經學者爲考據，善屬文者爲著作也。賈鄭大儒，盡化以前專家章句之習，破古今師法之爭，爲經學大成，亦仍謂之經學。以己之性靈，合諸古聖之性靈，並通貫於千百家之性靈，非天下之至精孰克與此！竊其皮毛，敷爲藻麗，則詞章詩賦之學也。晉宋以來，駢四驪六，間有不本於經者，習爲類書，不求根柢性情之正，或爲之汨；趙宋以下，經學一出臆斷，古學幾亡。於是爲詞章者，亦徒以空衍爲事，並經之皮毛亦漸至於盡，殊可閔也。王伯厚之徒，稍稍尋究古說，摭拾舊聞，天下乃有補苴掇拾之學。視空論爲文者，有似此粗而彼精，不知何人強以考據名之，以爲不如著作之抒寫性靈。本朝經學之盛，前如顧、萬、胡、閻，近有惠、江、戴、程、段、王、錢數十家，均異乎補苴掇拾者之所為，直當以經學名之。袁太史所稱，擇其精奇隨時筆錄者，此與經學絕不相蒙，止可為詩料、策料。世俗考據之稱，或為此類而設，且漢時所謂著作者，專為掌修國史之稱。袁氏之說不足辨，而考據之名不可以不除。乾隆乙卯，三月二十日。

先生與劉端臨教諭書：近時數十年來，江南千餘里中，雖幼學鄙儒，無不知有許鄭者，所患習為虛聲，不能深造而有得。蓋古學未興，道在存其學，古學大興，道在求其通。前之弊，患乎不學，後之弊，患乎不思，證之以實，而運之於虛，庶幾學經之道也。乃近來為學之士，忽設一考據之目，循去年在山東時，曾作札與孫淵如觀察，反覆辨此名目之非。按此書非本年作，以與前書相發明，故連類錄之於此。

先生登州觀海記：乾隆六十年四月初一日，同儀徵江安、甘泉阮鴻，遊登州蓬萊閣望海。

先生答羅養齋書：遊齊魯半年，得詩五十首。

先生毛詩鳥獸草木蟲魚釋自序：至辛癸訖，爲三十卷，壬子至乙卯，又改一次，未愜也。乙卯山左之遊，隨諸行篋，車塵馬足閒，聞見所及，時加訂正，蓋亦費日力之甚者矣。

阮亨雕菰集序：嘗憶乾隆乙卯秋，先生來濟南學署，亨隨侍策騎，遊鵲華新山，興會淋漓，頗自詡其弧矢四方之志。按先生五月南歸，此云秋來濟南誤也。

先生武虛谷先生手札跋：五月六日，余束裝歸揚州，君以初九日來濟南，寓居大明湖鐵公祠堂，相隔僅二日，余深悔不爲十日留，相與𢡟論，得罄胸中未盡之意。

先生詩：歲乙卯，熊柱卿邀同人於塔影園，爲文酒之會。

先生殤孫冢誌：余少子廷繡，殤於乾隆乙卯六月。

先生西魏書論：乾隆乙卯秋，遇桐城胡雒君於金陵，以是書見遺。

先生釋弧自序：梅書撰非一時，繁複無次，敘戴書務爲簡奧，變易舊名，恆不易了。乾隆乙卯秋八月，取二書參之，爲釋弧三篇。按此書有錢大昕序，亦作於此年，而不載潛研堂集中。

先生衡齋算學序：余幼好九九之學，求之古書，不能得其旨歸，自交吳中李尚之銳、歙縣汪孝嬰萊，得兩君切磋，於此藝稍有進，而兩君亦時以所得見示，令商論可否，是時李仁卿、秦道古之書，兩君均未之見也。歲乙卯冬，余在浙，始得益古演段，測圓海鏡兩書，急寄尚之，尚之甚喜，為之疏通證明，復推其術於弧矢，著書以明郭太史授時草，所用天元一之術也。而余又得秦氏所為數學大略，今名數學九章亦撰為天元一釋，開方通釋，以述兩家之學。

先生江處士手札跋：處士家君名璆，字貢廷，好禪氏書，自號曰補僧。手寫佛經數十卷，乙卯丙辰閒，同寓武林學院署中；出則共一舟，情好最密。嘗行富春江上，余著野服，散髮放歌，補僧瞑目凝立誦佛，舟故有伎，伎驚避去；時以為噱云。按貢廷，乃艮庭長子也。

李儼中國算學史：國立北平圖書館藏乘方釋例五卷，前有焦循手錄之印，卷末有乾隆六十年十二月二十二日乘方釋例五卷成一行。按先生加減乘除釋卷三，曾謂舊撰乘方釋例，以明乘方廉隅之理，蓋與開方釋例互爲表裡者也。

嘉慶元年，丙辰，（公元一七九六年）先生年三十四歲。

在浙江。

阮元焦君傳：嘉慶丙辰，元督學於浙，復招君游浙東，有浙江詩鈔一卷。

先生釋輪自序：循旣述釋弧三篇，所以明步天之用也，然弧線之生，緣於諸輪，輪徑相交，乃成三角之象，輪之弗明，法無從附也。擬爲釋輪二篇，上篇言諸輪之異同，下篇言弧角之變化，以明立法之意；由於實測若高卑遲疾之故，則未敢以臆度焉。嘉慶元年，春二月記，時寓甯波校士館中。按廷琥撰事略，謂上錢辛楣論七政書，在是年錢氏回書，謂其推闡入微，詞澈根源也。

焦廷琥先府君事略：丙辰之春，渡錢塘，由山陰四明至甬東，訪萬氏遺書，不孝隨侍左右；六月，不孝患濕幾危，府君送不孝吳中就醫。歸家一月，府君復爲金衢之遊，冬十二月歸，有遊浙江詩鈔一卷。

先生答羅養齋書：七月間一晤，循即歸湖，越一月往秀水，旋游吳興，九月到錢塘。今遊吳越，半年得六、七十首；蓋山川舊跡與客懷相摩盪，則詩思自然溢出，境與時不同，則詩思亦異，嘗取十數年詩稿統觀之，前後筆墨不可彊合。然則一人之詩，少壯老已不能無異，況一邑乎！竊謂選詩之法，當就一人，論其處境，究其學派，以存一家之學。故論作詩之法，不可因人；選詩之法，不可因己。

先生豫章沿革考序：吾友胡雒君客江西時，與修郡志，因爲豫章沿革考二卷，列之爲表，繫以說明；今之豫章，非春秋時之豫章；裨史補經，吾信其必傳。儒者之學，非身親而心入之，其說不精，一人之身，不能盡天下之地而盡歷之；萃數百十人之力，一邑一地，俱有所訂正焉。後有陸澄任昉，裒集其成，雒君此書，實爲嚆矢。嘉慶丙辰夏四月。

先生蕭山雙節記：嘉慶元年丙辰，循自錢塘渡西陵、過蕭山、至於山陰。

先生釋橢小序：康熙甲子律書用諸輪法，雍正癸卯律書用橢圓法，蓋實測隨時而差，則立法亦隨時而改。循學習此術，以義蘊深密，未易尋究，謹其精要，析而明之，庶幾便於初學。嘉慶元年九月朔錄。

焦廷琥先府君事略：是年十一月過吳門，請益於錢辛楣先生，不孝從焉。辛楣先生稱是書（按謂釋弧）於正弧斜弧次形矢較之用，理無不包，法無不備。

又，二叔父自舍其業，爲親戚送老母、幼子於晉，歸來失業，府君憂之，百計爲復故業。（按此事未知在何年，先生喜舍弟歸自太原詩有句云：「我昨自太末，歲杪還舊林，家書適遠至，撥火探離音」云云。故附載游浙東之後。）

嘉慶二年，丁巳，（公元一七九七年）先生年三十五歲。

是年先生村居訓蒙。

先生上王述庵侍郎書二：循居甘泉之北鄉，地僻無師學，惟先人之教，以爲生員所重在學術，不在科甲，於是命之究習經書，博覽典籍。循淺陋，實無以承先人之訓，然而先人教子弟之法，似有可述者。方今盛朝曠典，命郡縣舉孝廉方正，謹以先人言行證諸宗族鄉里，似於此無有愧者。慟已歿世，不能邀朝廷之恩，乃求大人先生一言以銘墓石，則或非粉飾虛誣，以妄煩君子之筆也。謹錄先人事略一卷，恭呈台閱，不勝恐懼之至。嘉慶丁巳正月初十日謹上。按蘭泉撰有墓表在集中。

先生答汪晉蕃書：僕今歲村居訓蒙，以爲無舟車跋涉之苦，然而去家太近，則瑣屑之事，頗聞於耳而累於心；兼之有濕熱痔瘡諸小疾不時煩擾，殊自悶悶。兩月以來，惟有兩事自課，其一算法，其一形家之書；算法學習有年，大約皆苦究其難者奧者，近來於至淺至近處求之，頗覺向之至難至奧與至淺至近者原屬一貫。如算法統宗，有九狐、七鵬之術，梅氏說尚非通法，又如張邱建算經，有雞翁之術；李淳風、劉孝孫之流，詭爲算法，亦非通法也。蓋古人算法，往往就一題以求簡便，不知法愈簡便，則愈隱祕，而理愈不明。今欲一一明其理、達其用，括九章之條目，核難題之本原，而以一線通之，著爲加減乘除釋一書；方立稿本，約歲許乃可成也。因問及日來功課，略以數條相覆、丁巳六月。

先生鈔王築夫異香集序：古有六藝九流詩賦而無集，集者經史之雜，而九流詩賦之變也，經生說經，史臣著史，各有專書矣。其友朋辨難之文，簡篇敘論之作，或出其精華之聚，以破蒙俗；或總其未成之書，以俟參訂；凡足以羽翼乎經，皆經類也。墓銘、行狀、家傳、別傳之等，核其實，去其浮，無撰史之職，可以待撰史者之採用，則史類也。無益於經史。而議論足以成家，駢儷可以悅目，亦有存而不能廢者，皆可以相雜而成集。非此三者，爲尺牘、爲題名、爲諸應酬之文，亦往往傳其集者，則以其人徒行功業，愛之敬之，因而珍重其文，非文之傳也。令德行功業不足傳，而徒欲以文傳，而所恃者，止於尺牘題名及諸應酬之文，非不自許爲作者，無何而飄風野馬矣。王築夫異香集二卷，間爲他書所引據，大約資於史學者，求之三十年不得。丁巳授徒。徒有湯氏所藏有是書，爲陸氏選刻者，郡志稱其白田集四十卷，當更求之。嘉慶二年八月晦日。

先生良知論：歲丁巳，授徒村中，有以朱陸陽明爲問者。余謂紫陽之學，所以教天下之君子；陽明之學，所以教天下之小人；紫陽之學，用之於太平寬裕，足以爲良相；陽明之學，用之於倉促苟且，足以成大功。良知者，良心之謂也，雖愚不肖，不能讀書之人，有以感發之，無不動者；陽明以浙右書生，削平四省之盜，本以至誠，發爲忠憤。余讀文成全集，至檄利頭、諭頑民、札安宣慰，及所以與屬官謀告士卒者，無浮詞、無激言，眞能以己之良心，感動人之良心。天下讀朱子書，漸磨瑩滌，爲名臣巨儒，其功可見；而陽明以良知之學，成一世之功，效亦顯然，無容互訾矣。

先生加減乘除釋自序：嘉慶二年丁巳，授徒村中，無應酬之煩，取舊稿細爲增損，得八卷，時十二月大寒日。

阮元焦君傳：君思深悟銳，尤精於天學算術，謂梅徵君孤三角舉要，環中黍尺，撰非一時，繁複無次；戴庶常句股割圜記，務爲簡奧，變易舊名，撰釋弧三卷；錢辛楣先生稱是書於正弧、斜弧、次形、矢較之用，理無不包，法無不備。君上書於錢辛楣先生，論七政諸輪。辛楣先生復書云：「推闡入微，以實測之數，假立法象，以求其合，尤爲洞徹根原，君以弧線之生，緣於諸輪，輪徑相交，乃成三角，輪之弗明，法無從附也。」撰釋輪二卷。君又謂「康熙甲子律書用諸輪法，雍正癸卯律書用橢圓法，實測隨時而差，則立法亦隨時而改。」撰釋橢一卷。按諸算書序跋已約錄於前，此阮傳甚簡要，故復錄之。阮別有里堂算學記總序，文繁不錄。

先生詩：丁巳十二月，立春前一日，小集李冠三、周南寸草齋中，同詠者十三人，詩曰：「竟日泥鉛槧，不如擎酒杯；友朋悵新舊，歲月怒遲回。寸草齋方葺，寒梅花正開；有懷分動息，誰剪北山萊。」

嘉慶三年，戊午，（公元一七九八年）先生年三十六歲。

家居授徒。

先生修葺通志堂經解後序：今年家居，無賓客之擾，嘉慶三年五月十九日。

先生釋弧自序：嘉慶戊午秋九月，省試被落後，溫習舊業，因取昔年所論六觚、八線未成之帙，刪益爲此書。按釋弧稿成於乙卯年，此則重訂本序也。

先生書非國語後：一國語也，或是之，或非之，而國語則至今存；一非國語也，或是之，或非之，而非國語則至今與國語並存。然則是非果何定乎？古人之書，往往是非各半，苟不能知其世，則一言且可是可非也；是非既各半，則並存也固宜。夫性與天道，子貢未聞，好語怪異，以感民志，詎足訓也。褒姒之事，

余嘗辨其謬，惜柳氏未及此，尚有遺耳。此編戊午冬月寫

嘉慶四年，己未，（公元一七九九年）先生年三十七歲。

家居授徒。

先生刻詩品序：余幼年十二、三歲時，好爲小詩，先君以詩品示之，藏諸篋中二十餘年，友朋索觀，爰授梓人，凡一卷，爲篇二十四，附論詩文二篇於後。嘉慶四年三月望日。

先生毛詩鳥獸草木蟲魚釋自序：辛丑壬寅間創稿，復易者三，丁未復改訂之，至辛亥訖，爲三十卷；壬子至乙丑，又改一次，未愜也；戊午春更删棄繁冗，合爲十一卷，以考證陸璣疏一卷附於末，凡十二卷。蓋自辛丑至己未，共十有九年，稿易六次，蓋亦費日力之甚者矣。書之例，列傳箋釋文正義於右，以己說釋於左，不必釋者，不贅一詞也。不效類書，臚列而無所折衷，不爲空論，不尚新奇；毛鄭有非者則辨正之，不敢執一以廢百也。陸璣疏太略，後人掇拾之，非元恪原書，爲條辨於後。嘉慶己未冬十一月。

先生天元一釋自序：天元一之名不著於古籍，金元之間，李仁卿作測圓海鏡、益古演段兩書，以暢發其旨。宋末秦道古數學九章，術與李異；元郭邢臺用李法，明世遂微。梅文穆悟其爲借根方法之所本，吾友元和李尚之銳，復辨明天元之相消，異乎借根之相減。循習是術，因以教授子弟，而所論相消相減，間與尚之之說差，蓋尚之主辨天元借根之殊，循主述盈朒和較之理，閱者勿疑有異義也。嘉慶四年冬十二月除夕。

譚階平天元一釋序：焦子理堂治經之暇，著天元一釋二卷，其於正負相消盈朒和較之理，實能抉其所以然，復辨別秦氏之立天元一，與李氏迥殊；且細考生卒時代，知鏡齋不後於道古。

按所謂秦李之異點，見天元一釋下，其言曰：「李氏之立天元一，蓋不知眞數立一數爲比例之根，其究不必一也。秦氏之立天元一，乃欲得一數，立一數，以爲齊同之準，其究必是一也，李氏之所立，可以馭一切之算，秦氏之所立，止以定歸奇之用。二者藐不相同」云云。是李氏與今代數近，而秦氏則非也。

嘉慶五年，庚申，（公元一八〇〇年）先生年三十八歲。

家居授徒，冬應浙撫阮公之招，復遊浙。

阮元焦君傳：歲庚申，元撫浙，招君復遊浙。

先生誠本堂記：嘉慶五年，歲庚申，夏四月，浙江撫軍阮公，以書招余。冬十月，爲武林之遊，寓居節署，誠本堂之東偏；吳門李銳，與余同屋居。

先生書西鏡錄後：梅勿庵先生，手批西鏡錄一冊，元和李尚之得諸吳市。嘉慶庚申冬十月，窮三日力，自寫一本，明年辛酉，在金陵市中，買得寫本天步眞原一冊，不完。亦有朱書鼎按云云。然則勿庵之書，散失多矣。

先生衡齋算學序：庚申冬，與尚之同客武林節署中，互相證訂，喜古人絕學復續於今。

先生修補六家術序：天算之學有二端，守當時成法，布策推算，無有差戾，術士之學也；明其義蘊，貫而通之，闡發古先，以啓來者，儒者之學也。鄭康成、李業興以此治經，司馬遷、李淳風、劉羲叟以此治史。元修宋金諸史，不爲秦九韶立傳，而所爲大衍、求一、演記、上元，鮮有知者，至所爲曆志，殘闕失次，爲舛尤甚。元史載授時術及李冶傳，皆不言立天元一法，於前賢精義所存，近在數百年間，轉不如漢晉之遠而可考；是則修史者，不通此學之咎也。嘉慶庚申冬十一月，循與李尚之同客武林節署，因讀其所補宋金六家術。六家者，宋衛朴之奉元，姚舜輔之占天，李德卿之淳祐，譚玉之會天，金楊級之大明，耶律履之乙未也，術不備載本史。夫有李氏之立天元一，而後知授時術弧矢相求之妙；有秦氏之演紀，而後知古人推演積年日法之故。尚之用以補古曆如此脗合，不由此而更大彰乎！

先生開方通釋自序：近來因講明天元一術於金山文淙閣，借得秦道古數學九章，其中用開方法，既精且簡；不特與測圓海鏡相表裡，究其原，實古九章之遺焉。嘉慶庚申冬十一月，與元和李尚之同客武林節署，共論及此，相約廣爲傳播，俾古學大著於海內。時談階平教諭亦客督學劉侍郎幕中，時過余寓舍，互相訂證。竊謂開正負帶從諸乘方，儒者竭精敝神，或未能了，使知道古此法，自一乘以至百千乘，一以貫通；人人可以布策而求也。辛酉正月人日。按此序雖作於次年，而所敘各事皆在此年，故繫於此。

阮元焦君傳：開方釋例一卷，尚之敘云：「此書於帶分寄母，同數相消之故，條分縷析，發揮無餘蘊，自李欒城、郭邢臺之後，爲此學者未如此妙。」又教子廷琥曰：『李欒城之學，余既撰天元一釋以闡明之，而測圓海鏡、益古演段兩書，不詳開方之法，以常法推之不合，讀者依然溟涬黯黮；余得秦道古數學九章，有正負開方法，因作開方釋例，詳述其義。汝可列益古演段六十四問，用正負開方法推算之』，因以同名相加，異名相消，用超用變之法，詳示廷琥。廷琥乃知以秦氏之法，讀李氏之書，布策推算，一一符合，六十四問，每問皆詳盡其式。君喜曰：『得此而演段可以讀矣！』即命名曰，益古演段開方補。且曰：『可附里堂算學記之末。』按今算學記後，未附刻此書。

先生書喬劍溪選六曆詩後：嘉慶庚申，余客武林節署，值刑部汪君芝亭主師席，其齋閣與余寓處相對，君晚夕課徒之暇，不以余村野，每過論詩，相與甚歡。

嘉慶六年，辛酉（公元一八〇一年）先生年三十九歲。

春歸揚州，秋應試中式舉人，冬復遊浙。

先生詩：辛酉元旦，登吳山第一峰，詩曰：「今年第一日，來登第一峰；春光何地早，客興此時濃。風協卜秋熟，浪恬銷海烽；吾家世耕讀，願作太平農。」

按集中附載和詩，凡有李銳，顧廣圻、陳鴻壽、羅永符、許珩、阮亨諸家。

焦廷琥先府君事略：辛酉之春回揚，送不孝至泰州院試，是年，三叔父及不孝皆入學。府君在泰州一月，手錄王曉庵遺書三册，計十四卷。府君嘗謂：「曉庵算學，過於梅氏。」府君所寓之地，即陳曙峰太史之會心樓，亦佳話也。

阮元焦君傳：辛酉春歸揚州，秋應試中式舉人，座師英煦齋先生。

阮亨雕菰集序：雕菰集二十四卷，吾師焦理堂先生所著也。先生博學，工詩古文；自少與雲台兄齊名，辛酉科始中鄉魁。

先生蜀道歸裝圖跋：嘉慶辛酉冬十月，晤朱右甫孝廉於武林節院，右甫方持祖母服，以石門方樗庵所作慈竹居圖，屬歌詠其事，循爲樂府歌之。明日，右甫曰：『歌子詩，使我淚溢於枕，終夜不能寐。』余詩詎能感人，右甫至性耳。樗庵名薰傳，亦寓節署中，夜三鼓，每與右甫過余舍，挑燈劇譚，牕外梧葉墜地如鬼聲，猶刺刺不睡也。

嘉慶七年，壬戌，（公元一八〇二年）先生年四十歲。

春，北上會試，下第歸里，秋復遊浙。

先生壬戌會試記：正月二十二日，駕小舟過湖，至郘伯埭。明日，汪年丈舟來，從之。二十七日，渡河。二十八日，登車。二月初一日，至堰頭，遇談階平。初二日，過壩頭，有新矼知州魯君，善政也。初三日，渡陶溝，梁壞，晚宿陰平；是日，余四十生日。初四日，雨雪。初十日，宿劉智廟。十一日，至景州。十四日，由鄭州城至雄縣，水淹没道路，不便車行。十七日，至蘆溝橋，遂入彰義門，寓南柳巷鄭柿里舍人寓。三月初四日，與諸同年生公謁座師英煦齋侍郎於史家胡同；師見余，甚喜，曰：『吾知子之字里堂，江南老名士，屈抑久矣。』是夜，足痺發，大痛，不能屈信。初八日，足稍差，入場，坐國字三十五號，首題「爲人君、止於仁，爲人臣、止於敬。」出場，遇李冠三、張開虞，見之曰：『是可得元。』十六日，王伯申來，贈以所著周秦名字解詁。十八日，訪戴金溪於鐵廠。十九日，李冠三邀飲於龍王堂楸樹下。二十日，看花崇效寺。

二十二日，鄭舍人邀遊釣魚台。四月初六日，有傳余爲會元者。初十日，公然有報賀者十餘起，皆曰：『會元。』余曰：『會元卷至末乃拆，日間何以得知？』此妄說，趨避於外。是夜，榜發下第。二十六日，偕鄭舍人出都。五月二十日抵家。嘉慶七年五月下弦記。

先生詩：題闈中壁，壬戌三月十四日，詩曰：「兩鬢蕭疏已欲霜，才來京國學觀場；文章未解趨風氣，祿命惟知聽灝蒼。夢裡歸心縈何里，燈邊夜語集諸方；卷簾已是三更後，月影如金上棘墻」。

阮亨雕菰集序：僅一會試，場中擬元，久之，榜發被落。

先生朱文正公神道碑後記：嘉慶壬戌夏四月初四日，余謁公於西華門之北池，門外車如織，大半皆海內寒士。入門闃然如無人，持刺求謁，閽人持刺入，即出曰：『主人坐待客，君自入。』遂入左側門，行花樹，見公衣緋色舊袍，疑立階下，一童子扶之，拱曰：『不可揖，吾足病未愈也。』令坐於左，遂縱論經學、理學，旁及詩文。余受教退，公降階送，余唯唯長揖出巷，乃登車歸。

焦廷琥先府君事略：壬戌，府君會試入都，衢州戴金溪先生亦相與，論定天元一術。

先生詩：壬戌五月晦日，江文叔邀同汪晉蕃、張開虞等，集康山草堂。

先生禹貢鄭注釋自序：嘉慶壬戌夏五月，自都中歸，阮撫部以書來招往浙，問以古三江之說。循曰：『鄭氏三江之注合於班氏。近之學者，惟鄭之欲聞，乃鄭氏之書見存者，不耐討索，而散而求之殘缺廢棄之餘，不辨其是非眞僞，務以一句之獲、一字之綴爲工；及其以贋爲眞，又不復考其矛盾，誰之咎邪！班氏地理志，採博擇精，漢世地理之書莫此爲善。故鄭氏注經，一本於此；閒有不合，亦明言所以易之義。』是冬十月，從浙江歸來，寒窗無事，與子弟門人論說及之，因以嘉定王光祿、陽湖孫觀察所集之本，爲質考而核之，專明班氏、鄭氏之學。十二月臘日序。按汪萊跋，謂讀此蓋竭三月力，乃稍稍得其紛緒，彌嘆作之之不苟云。

阮元焦君傳：壬戌復招君游浙，冬歸揚州。

先生書非國語後：此編戊午冬月所寫，壬戌自都中歸，立秋後病痎瘧，取誦之，因以與吳武陵、呂道州兩書，及諸論說，非國語者附焉。是日病愈，乃書其後。

先生殤孫家誌：今幼孫貴齡，生於嘉慶壬戌八月。

先生衡齋算學序：壬戌春，余在京師，汪孝嬰自六安寄一書來，甚言秦道古李仁卿兩家之非，而剖析其可知不可知。是秋，余復在浙，尚之須於孤山，買舟訪之，以孝嬰之書與相參核，尚之深嘆爲精善。復以兩日之力，作開方三例，以明孝嬰書之所以然。於是秦李兩家之學，至此益明。按李儼中國算術史，焦循有補衡齋算學，第三冊一卷。

先生里堂道聽錄序：先是壬戌癸亥間，嘗編之，名道聽錄。按此錄至甲戌年方編成，互詳甲戌年。

阮亨雕菰集序：又嘗於嘉慶壬戌冬，來杭州節院。亨同放棹西湖，冒雪敲冰，聯句於林處士梅花墓下，感慨嘯歌，幾莫掩其胸懷高逸之風。

嘉慶八年，癸亥，（公元一八〇三年）先生年四十一歲。

村居教徒。

先生毛詩地理釋自序：丁未讀王伯厚詩地理考，更爲考之；迄今十七年，未及成書。今春家處，取舊稿刪訂，錄爲一冊，共四卷。焦子曰：『考春秋之地理難，考毛詩之地理尤難。』李吉甫、樂史、歐陽忞諸書，每指一地，以爲詩人所詠，害於經義，不爲典要。至於韓侯近燕，非晉國之韓原，居常與許常爲齊所侵地，見管子大匡。又前人所已及，若文王伐阮，即書傳史記之伐邗；彌即泥中，公子素即公子士。諸如此類，竊自爲斷，雖未必當，或有備後賢之汲取云。嘉慶癸亥三月朔。

先生學圃記：歲癸亥，余侍母家居，倦於四方之遊，夏四月，雨累日。

先生衡齋算學序：今年村居教徒，稀入城市，出入於農圃醫卜之術。秋八月有走馬來者，叩門甚迫，童子驚相告，余視之，則孝嬰也。延入塾中，對飲於豆花蛩語間。孝嬰謂余曰：『或謂尚之誚吾所著書，有之乎？』余因出尚之所爲衡齋算學跋與之。孝嬰怡然曰：『尚之固不我非也。』門人請曰：『秦李之書，李君疏之，汪君難之，不已異乎？』余曰：『此兩君所以是也。古人立言，固樂夫人之深入而難我，不樂人之略觀大意而諂附我也。』嘉慶癸亥中秋前一日。

先生湖莊圖跋：嘉慶八年，歲次癸亥，循以母疾，不果出遊，授徒於家。秋八月，汪君慶人訪我於半九書塾，先是我母病喘欬，已而鼻衄，苦右體不良於動，至是疾愈。又孫貴齡周歲，母歡甚。適汪君來，命循設榻留之，日乘小舟泛於湖東，汪君以爲勝遊，不可不誌，因作圖如右。

先生答黃春谷論詩書：昨歐陽製美自城中寄足下書來，知詩集已付刻，去秋僕在錢塘，適劉孝廉嗣綰自都中來，僕有詩曰：「落花時節燕臺醉？十里松風又共聽。」以唐李紳赴鎭會稽，思遊天竺靈隱而不暇，因慨然有十里松風之句。僕與劉下第歸來，若如紳勤勞王事，轉不得共聽此松風耳！而閱者乃以爲松風當改松濤，僕當時默然，退而將此詩注明，藏諸篋中。因思韓非子之作說儲，謝靈運作山居賦，顏之推作觀我生賦，皆自爲之注。夫觸事言懷，不嫌瑣末，辭旨幽遠，比興無端，與其俟諸後人，十不得五，莫若自爲箋注，貢厥端倪。癸亥十一月至日。

嘉慶九年，甲子，（公元一八〇四年）先生年四十二歲。

授徒家塾。

先生湖莊圖跋：甲子大水。

先生易通釋自序：嘉慶九年甲子，授徒家塾，念先子之教，越幾三十年，無以報命，不肖自棄之罪，曷以逃免！竊謂文王周公之辭，以參伍錯綜繫之；孔子十翼亦參伍錯綜贊之，所以明易之道備矣。孟子不明言易，而實深於易；惜乎漢魏諸儒，不能推其所聞，坐令老莊異端出而爭之矣。循旣學洞淵九容之術，乃以數之比例求易之比例，向來所疑，漸能理解，初有所得，即就正於高郵王君伯申，伯申以爲精銳，鑿破混沌！用是憤勉，遂成通釋一書。

先生論語通釋自序：循嘗善東原戴氏作孟子字義考證，於理道天命性情之名，揭而明之，如天日。而惜其於孔子一貫仁恕之說，未及暢發。十數年來，每以孔子之言，參孔子之言，復以孟子之言參之；佐以易、詩、春秋、禮記，旁及荀、董、揚、班之說，而知聖人之道，惟在仁恕。仁恕則爲聖人，不仁不恕則爲異端小道。今年夏五月，鄭柿里舍人以書來問未可與權；適門人論一貫，不知曾子忠恕之義，因推而說之，凡百餘日，得十有二篇。曰聖、曰大、曰仁、曰一貫忠恕、曰學、曰知、曰能、曰權、曰義、曰禮、曰仕、曰君子小人，統而名之曰論語通釋。嘉慶甲子秋九月。

先生論語補疏自序：余向嘗爲論語通釋一卷，以就正於吾友汪孝嬰，孝嬰苦其簡而未備。

嘉慶十年，乙丑，（公元一八〇五年）先生年四十三歲。

家居授徒。六月、孫貴齡殤。十月，生母殷孺人卒。

阮元焦君傳：歲乙丑，有勸君應禮部試，且資之者。君以書辭之曰：「生母殷病雖愈而神未健，此不北行之苦心；非樂安佚，輕仕進也。」殷竟以夏病冬卒，君毀如初，克盡其孝。

先生答鄭耀庭書：昨舍弟道及足下高誼，怪弟今歲不赴公車，且爲籌行李之資，感激涕零，容當面謝。但弟不北行之故，實有苦心。壬戌正月北行，家母送至舟中，翹首而望，心甚悽惻。五月歸，家母甚歡，及秋間往浙，母曰：『歸家才兩月又行，吾近年多病，甚不似往年強健矣。』明日旣行，念念在心，遂屢思返，故冬月歸來，決意家居訓蒙，不復作遠遊計。去秋受濕氣，尻內脹痛，呻吟四十餘日，家母時以爲憂；近雖安好，神色未健，一旦遠行，兩地懸掛，此實弟不出之苦心，非樂安佚而輕仕進也。外間擬今歲大總裁必是朱石君先生，循去，必獲進士。弟豈不樂此？竊謂亦有命焉！乾隆丙午，弟丁外艱，而是年朱石君先生主江南試，時人頗爲弟惜，然循惟悲感而已。庚戌辛亥，胡文恪公督學江蘇，兩試俱優等，人無不以弟必得優貢，乃以他事，文恪與奇大中丞議不合，並此而罷；可知無非有命，奈何以不可知之事，而奔走恐後耶！嘉慶乙丑，正月二十一日。

先生劇說小序：乾隆壬子冬月，於書肆破書中，得一帙，雜錄前人論曲論劇之語，引輯詳博，而無次序。嘉慶乙丑，養病家居，經史苦不能讀，因取前帙參以舊聞，凡論宮調音律者不錄，名之以劇說云。穀雨日記。按劇說序，不載本集，諸家亦未稱引，僅廷琥撰事略曾述之。今有排本，凡六卷，蓋點定前人舊作而成書者。而廷琥謂乙丑養病家居，博覽詞曲，作劇說六卷，與自序語不合，未知何故？

先生鈔何有軒文集序：余將萃鄉先生之文爲揚州文集，徧求之不可多得。乙丑夏四月，門人汪生昌序以此集遺余，余不勝寶惜之。向於邑志中，載陳霆發何有軒集，因考其人，字鳴夏，終於江都學生。

先生殤孫冢誌：貴齡殤於嘉慶乙丑六月。

先生湖莊圖跋：甲子大水，今年乙丑水倍於前，莊東之屋倒廢過半。大風拔老樹二十餘株，書塾之垣，悉委於浪。吾母以橫逆所加，心志鬱鬱，疾發，臥床百四十日，不能起立。夏六月孫貴齡殤。閏月子廷琥、女弧矢，大病幾殆，迄今羸瘠。夜三鼓，母呻方歇，鐙炧將殘，蓋中秋之後二日也。

先生名醫李君墓志銘：嘉慶十年閏月，（按是年閏六月）余子女及子婦病瀕於危，君活之。君諱炳，字振聲，號西垣，儀徵縣人。

焦廷琥鄭素圃醫案序：乙丑閏六月，余病頭面，蒸熱如炭，身發紅跡似疹，幾死。李翁曰：『脈緊不渴，非疹。』服眞武湯而愈。

先生答李尚之書二：去年（按指本年）四月一晤，滿擬午節後入城，可以盤桓數日，不意老母一病，臥床二百日，至於十月，遂遭大故。中間雖入城兩次，皆是朝發暮返，方寸既亂，朋友之誼遂疏。

先生乞程易疇先生爲先人作墓志書：循因母病，不敢出門者三年矣！今冬十月，不幸至於大故，惟思人子事親，親有善行可傳，而不能述，大罪也。今世齒德如先生，而不求鉅筆爲文，附大集以傳，不孝之罪又勝論哉！謹將先父、先嫡母、先母事略呈覽，乞一銘墓之文，幸憐而許之，能賜親筆一書，雖或行草，傳之子孫，更感惠不淺矣。按易疇爲撰墓銘在集中。

先生先妣殷孺人事略：嘉慶乙丑十月初四日，吾母殷太孺人卒，年亦六十有六。是年十二月初六日，祔葬於府君、謝孺人合窆之穴。

嘉慶十一年，丙寅，（公元一八〇六年）先生年四十四歲。

授徒於城，兼與纂揚州圖經。

先生揚州足徵錄序：歲丙寅，汀州伊公守揚州，時撫院阮公在籍，相約纂輯揚州圖經、揚州文粹兩書；余分任其事。明年，伊公以憂去，撫部亦起服入朝，事遂寢。

先生答李尚之書二：弟連年被水，田園悉没，不得已授徒於城，爲餬口計，景況殊惡，不堪道也。孝嬰館地去弟甚近，春夏之交，往來最密；六月間，毅然而去，弟終日孤坐，頗傷離索。每思得吾兄與孝嬰爭辨一室，而弟從旁議論之不可得也。我輩無益於世，國計民生，何事可信！惟是此孜孜半生者，庶幾成就，俾心神血氣，不致散佚不合則可矣。揚州圖經一事，看來未易得成，即成未易得佳，弟雖濫竽其中，亦碌碌因人而已。

先生汪君孝嬰別傳：歲丙寅，余館城中，與孝嬰館相去數武，尤朝夕聚。

先生上河水災記上：嘉慶十一年夏五月，淮水又溢於高堰，下注諸湖，漕隄之壩不啓，於是上河之災四年矣！時余授徒城中，月之二十五日，佃客來，喘不能語，言水已平書塾之階石，而勢不已！愁不能臥，坐以達旦。二十六日，闕上人譁云：『荷花塘決矣！』陳公甘泉令猶諱言決，第曰『放壩云爾』。六月初一日，歸晤仲弟，述水事，且幸且懼。先是二十五日夜，弟臥聞譁，坐起蹴於水，風烈、浪高數尺，圍屋搖搖然，急呼舟舉家登之。風轉、水頓減尺許，至晚減四尺；探之，知荷花塘及腰鋪共決四、五百丈。而是日始放車邏、昭關等壩，而隄之決已莫能救云。水既退，每港口或圩田中有屍多至疊四十人者，暴日中，臭達於路，皆死於壩未放之先，隄既決，下河人亦如之。

阮元揚州北湖小志序：嘉慶丙寅丁卯間，奉諱家居，常至北湖，孝廉出北湖小志稿示余，余讀而韙之。孝廉學識精博，著作等身，此書數卷，足覘史才。使各郡縣數十里中皆有一人，載筆以志此事，則郡縣之志，不勞而成矣。亟索其稿，刊於板。按小志六卷，凡敘六，記十，傳二十一，書事八，家述二，別有圖十爲卷首。

先生天傭庵筆記序：嘉慶丙寅秋七月，余患腹疾，兼多愁鬱，終日廢書默坐。按是年正月有修王大名墓事，見廷琥文錄，文繁不錄。

焦廷琥鄭素圃醫案序：素圃先生著述甚富，嘉慶丙寅得其醫案一冊。

嘉慶十二年，丁卯，（公元一八〇七年）先生年四十五歲。

春，病甚危，幸而得愈，遂家居專心注易。

焦廷琥蜜梅花館文錄：謝景、張傳景，嘉慶甲子從家君遊。丁卯三月，家君病寒，危殆不知人君左右，床席不寐者十數夜。

又：**鄭素圃醫案序**：丁卯三月，家君病寒，誤藥，致耳聾、昏睡、舌黑而滑，脈洪大無倫。汪近垣診曰：『少陰之陽欲亡矣！非參附不救。』群醫或咻之，謂「舌黑脈大爲陽症。」無以決。余因憶素圃云：「耳聾昏睡，非少陽脈，反散大，直陽欲脫之機；舌黑而滑，腎水淩心也」。遂執此以證之，果愈。

先生易通釋自序：丙寅，以質歙縣汪君孝嬰，南城王君實齋，均蒙許可，然自以全易衡之，未敢信也。丁卯春三月，遘寒疾、垂絕者七日，昏瞀無所知。惟雜卦傳一篇往來胸中，既甦，遂一意於易。

先生申戴：王惕甫未定稿載，上元戴衍善述戴東原臨終言曰：『生平讀書，絕不復記，到此方知義理之學，可以養心。』因引以爲排斥古學之證。江都焦循曰：『非也。余丁卯春三月，病劇，昏臥七日，他事不復知，惟周易雜卦一篇往來胸中，明白了析，曲折畢著，平生用力之淺深，嗜好之誠僞，於此時驗之。東原平生所著書，惟孟子字義疏證三卷，原善三卷，最爲精善，知其講求於是者，必深有所得，故臨歿時，往來於心，則其所冐義理之學可以養心者，即東原自得之義理，非講學西銘太極之義理也。東原說經之書，如毛鄭詩補注等，皆未卒業，則非精神之所專注，宜其不復記也。吾見以貨利起家者，病革時，口惟言田舍事；奔走場屋而未利者，臨歿太息於鼎甲之可羨。吾於東原臨歿之言，知其生平所得力，專在孟子字義疏證一書，是故淺深眞僞，非人所能知也。己則知之，己亦不自知也，臨歿則知之。』

先生寄朱休承學士書：循丁卯春病絕七日乃甦，用是諸念悉屏，專心學易，跧伏湖濱，遂與世疏。邇年別無善狀，惟於易稍有所見。大抵聖人之教，質實平易，不過欲天下之人，各正性命，保合太和而已。其義理，論語、孟子闡發無餘；君子小人猶陰陽寒暑。在君子宜孚於小人，在小人宜進於君子，故寒往暑來，亦暑往寒來，小往大來，亦大往小來，大來固吉，小來亦非凶也。陰陽有尊卑，而無善惡，尊而光，卑而順，皆善也；上慢下暴，皆不善也。明曰變通，配四時，是寒暑皆時也，其往來皆通也。通即泰也，否極而泰，由君子能通之；泰極而否，由君子不能通之。以否極而泰，比諸寒極而暑；泰極而否，比諸暑極而寒；則擬失其倫。自泰否之義不明，而大小往來之義遂晦，於是各持一君子道長之見，而攻擊傾軋，即使得正，而已不利於君，不利於民。易道但教人旁通彼此，相與以情。循所見易之大旨如此。

先生上郡守伊公書：承委分辨圖經一事，所分十門，已彙萃成帙，所採文章可備徵實者，亦得十五册，約二千餘篇。惟所頒體例，僅用纂錄，不易一字，而標以出處，此誠取信於古；然鄙意揆之，有未盡然者。按此下歷舉十不合，從省。郡志爲土地之書，宜先釋地，爲嘉慶十二年之郡志，則嘉慶十二年見在之城郭、河渠、都里、疆域以及田賦、戶口，皆目驗而知，實莫實於此矣。是必按而記之，書其實跡，不厭於詳，不嫌於瑣；是爲所見異詞也。由今日而上推之，則六十歲人可識四十年事，四十歲人可識二十年事，水某年而湮塞，城某年而築修，職官之更代，士科之甲乙，稽之册籍，詢諸故老，是爲所聞異詞也。年遠代湮，咨詢莫及，既不可見聞，無可奈何，乃檢之故籍，求十一於千百，說以異而成疑，書或裨而難據，所爲傳聞異詞也。今轉以傳聞爲本，聞見爲虛，舍實事求是之路，趨無可奈何之途，鄙所不敢爲然也。且古書具在，學者刺取之，皆可成書，而見聞所及略之不言，日愈多而事愈湮矣。（是年伊墨卿憂去，圖經事遂輟。）

先生憑軒遺筆跋：族父熊符先生，循十一、二歲時，初學詩，質諸先生，不以爲呢喃聒噪也，一一爲之改正。嘉慶丁卯秋九月，族兄信堂出先生草稿，循爲理之，錄得二卷。

嘉慶十三年，戊辰，（公元一八〇八年）先生年四十六歲。

家居。

先生石湖遺書序：余幼年受業表兄秋帆，范君嘗謂其族中有石湖其人，隱君子也，遺書多不傳。丹徒王柳村謂余曰：『子向所稱范石湖者，吾見其遺書，蓋存於南關陳氏素村，皆石湖手蹟；石湖之婿，蘇實藏之。』乃慨然畀余以歸。石湖本名恆美，字德一，後易名荃。以其先世文穆公之號自號曰：「今之石湖」。文穆之軒曰：「鷗盟。」遂亦稱「鷗盟野老」。自撰鷗盟野老傳，如陸天隨之作甫里先生傳也。余既次其本末於北湖小志，乃理其稿，而編得十一種十九卷，總之爲石湖遺書。嘉慶戊辰元旦江都焦循序。

先生詩：戊辰之春，塾中海棠盛開，意有所觸，率爲兩絕句曰：「賤日看來亦悟稀，桃花人面尚嫌肥；低頭只是嬌無力，才遇東風便亂飛。三年依舊此花身，不爲愁多減卻春；闌外胭脂開滿樹，看花只少白頭人。」

焦廷琥詩錄：海棠二首，步家君原韻：「村居過客未全稀，小飲山廚筍正肥；同向海棠花下坐，滿身紅雨落飛飛。幾年墻角寄閒身，卻讓山茶獨佔春；今日胭脂才入目，滿園俱是看花人」。

先生易通釋自序：明年（按即本年）以訟事伺候對簿，改訂一度。（按何事涉訟未詳。）

阮元焦君傳：除喪後，小有足疾，遂託疾居黃玨橋村舍，閉戶著書。

嘉慶十四年，己巳（公元一八〇九年）先生年四十七歲。

家居修郡志，築雕菰樓。

先生易通釋自序：己巳，佐歸安姚先生秋農，通州白先生小山，修葺郡志，稍輟業。按謂注易之事稍輟也。據廷琥所撰事略，謂先生分得山川，忠義、孝友、篤行、隱逸、術藝、釋老、職官諸門。

先生揚州足徵錄序：己巳庚午間，修揚州府志成，即原本於圖經也。而文粹之稿，則向來分存於所纂輯之人，未嘗選訂。

先生覆姚秋農先生書：六月十二日，奉到手書，備悉一切。舊修志時，耳目所屬，不無濫竽，才識所囿，遂多徼幸，遲之數十年，但存三、五行之空言，續修者遂毅然刪去。以康熙志較萬曆志，已十刪二、三，以雍正志較康熙志，又十刪三、四。循原其所刪者，考其行事，往往爲必不可刪之人，如孝子孔應試割肉三十二處，又抉一目，可稱奇孝，不在蕭日瓚之下，舊志刪去，令人扼腕。因而推之，其空言無可考者，未必皆濫竽徼幸。大抵修志者，苟率完事，使孝子仁人之精氣不揚也；刪之則不敢，存之則煩冗，循反復求其例，則附書之體爲宜。志書之以詩文爲藝文，最是陋習，竊謂文與詩必有關於事實者，隨類取入，如溝洫志載賈讓三策，禮樂志載房中諸歌也。其有關古蹟者，必如文文山之賈家莊、鮎魚壩諸作蹟見於詩，詩即是證。若偶然遊眺行吟，無關情事，雖杜少陵、蘇東坡亦宜在禁例，所以防煩冗也。奏疏之文，一生精血，莫要於此，如劉瑜之忠，全見諸所上之書；若分而爲藝文，不異竭其精髓，但存皮殼。而其文孤懸別卷，亦全失精采，是斷不可者也。劉瑜等正史所有，本無籍於志書之傳，刪去其奏議，不過秉筆者之無識，尚不足爲重輕；若有賴志以傳者，則所關非小，如孝子陳嘉謨救父不得，上書於轉運使，而投於水，其精神氣節畢見於所上之書；舊志將書刪去，而孝子之烈，遂索然矣。循竭力求之，僅得半篇，爲之憤鬱者二日；不得不深咎於前此修志者之不載也。揚州文學，如曹、李之於文選，二徐之於說文，此二書爲萬古之精華，而揚州洩之，爲天下學者之性命，而廣陵兼之；則曹、李之傳必從文選中討論之，二徐之傳必從說文中討論之，如上文選注表，說文序，均當載入。近時文學之盛，在前如陳厚耀、喬萊、汪楫、顧圖河、王式丹、張符驤、王懋竑、吳世杰、夏之蓉等，在後則如李惇、汪中、劉台拱、賈稻孫、顧九苞、任大椿、鍾懷等，皆宜從其所著書及文集中，探而詳之。按篇中發明修志精義甚多，茲節錄其要。

阮元焦君傳：因分撰揚州府志，收拾雜文舊事，次第爲目錄一卷，名曰揚州足徵錄。又以隨筆，考錄揚事者，成邗記六卷。

焦廷琥游相墩記：今年三月，相君摶九邀家君爲墩上之游，余遂得以攬其勝。家君作銘，陳君西園曰：『不可無記』。遂誌之。嘉慶己巳三月二十四日，黃玨橋人，焦廷琥記。

先生半九書塾記：嘉慶己巳，纂修郡志，得脩脯金五百，以少半買地五畝，在雕菰淘中，以爲生壙。其大半於書塾之乙方，起小樓，黃玨橋外，白茆湖帆檣出沒，遠近漁燈牧唱，盡納於牖；樓下置櫝，以生平著述草稿貯之，以爲歿後神智所棲託，壙以藏骨，樓以息魂，取淘之名以名樓，曰：「雕菰樓。」樓北二老桑，翳𦐇四布，編竹作籬曰：「柘籬。」籬外有竹數畝，逕東有邱，因邱築小亭，薇表於亭，竹表於薇，長夏晨坐，衆鳥作聲，不知有人，曰：「紅薇翠竹之亭。」其南黃梅一株，先曾祖父手植也，歷百餘年，肄櫱復成樹，扶疏負書塾後，曰「蜜梅花館。」塾西一楹，余幼時讀書所在，近年悟得天元一正負如積之術，全乎易理，以數窮易，以易倚數，日坐室中，苦思寐索，曰：「倚洞淵九容數注易室」。塾前故有木蘭，前年槁於水，不忍去也。覆土作邱，曰：「木蘭冢。」冢東舊有屋作舫狀，石刻仲長統小像，曰：「仲軒。」連書塾右室有廊，引而申之，帶於山茶，南廊端稍闊，可坐以向花，用蘇長公詩名之曰：「花深少態簃」。

阮元焦君傳：葺其老屋，曰「半九書塾。」復構一樓，曰：「雕菰樓。」有湖光山色之勝，而讀書恆在樓，足不入城市者十餘年。按廷琥撰事略謂，半九者，取行百里者半九十之意云。

嘉慶十五年，庚午（公元一八一〇年）先生年四十八歲。

家居注易。

先生易通釋自序：庚午又改訂一度，終有所格而未通，身苦善病，恐不克終竟其事。

焦廷琥白茆草堂記：嘉慶庚午六月，家君葺徐坦庵、羅然倩、花石湖詞集，爲北湖三家詞鈔，太學吳少文刻之。按廷琥別有北湖三家詞鈔跋，載其文錄中。

又：半九書塾，家君拓而葺之，落成於庚午之冬，並作霜天曉角八闋，一時和者成帙。

嘉慶十六年，辛未，（公元一八一一年）先生年四十九歲。

家居注易，誓於先聖先師用專其志。

先生易通釋自序：辛未春正月，誓於先聖先師，盡屏他務，專理此經，日坐一室終夜不寐，又易稿者兩度。

先生告先聖先師文：循家三世習易，循幼秉父教，令從十翼求經，然弱冠已前，第執趙宋人說，二十歲從事於王、韓注，二十五歲後，進求諸漢、魏，研究於鄭、馬、荀、虞諸家者凡十五年。年四十一始盡屏衆說，一空已見，專以十翼與上下兩經，思其參互融合，凡五年三易其稿。四十五歲時，三月八日病寒，十八日昏絕，至二十四日復甦，妻子啼泣，戚友唁問，一無所知，惟雜卦傳一篇朖朖於心，既甦，默思此傳實爲贊易至精至要之處，二千年說易之人，置而不論，或且疑之，是固我孔子開牖其心，陰示厥意，於是科第仕宦之心盡廢，不憚寒暑，不與世酬接，甫於參伍錯綜中，引申觸類，悟得易之所以爲逆數，以往來旁通，成天地之能，定萬物之命，盡改舊稿，著爲三書。一曰通釋，二曰圖略，三曰章句。索之三年，稍識其指，增損塗乙，更寫清本。去年晤得時字利字之義，不畏煩複，自三月以來，未出村中，重加删改，則又十去六、七。循鈍而好思，不苦艱蹇，精耗神敝，不敢自惜，特循年已五十，按先生通釋序謂，自誓在辛未，而此云五十者，舉成數耳。脾病時發，每一冥索，僅及五、六，神氣遂竭，聖學無窮，英賢踵出，循惟倡其先，精之又精，俟之後人。

嘉慶十七年，壬申（公元一八一二年）先生年五十歲。

家居注易。

先生周易補疏自序：易之有王弼，說者以爲罪浮於桀紂，近之說漢易者，屏之不論不議者也。歲壬申，余撰易學三書漸有成。夏月啓書塾北窗，與一、二友人，看竹中紅薇白菊，因言易，及趙賓解箕子爲荄。茲或詡其說曰：『非王弼輩所能知也。』余笑而不答。或曰：『何也？』余乃取王弼注指之曰：『弼之解箕子用趙賓說，孔穎達不能申明之也。』非特此也，如讀彭爲旁，借雍爲甕，通孚爲浮，而訓爲務躁；解斯爲廝，而釋爲賤役；諸若此非明乎聲音訓故何足以明之？東漢末以易學名家者，稱荀、劉、馬、鄭。荀謂慈明爽，劉謂景升表，表之學，受於王暢，暢爲粲之祖父，與表皆山陽高平人，粲族兄凱爲表女婿，凱生業，業生二子，長宏、次弼，粲二子旣誅，業爲粲嗣。然則王弼者，劉表之外曾孫，而王粲之嗣孫，卽暢之嗣元孫也。宏字正宗，亦撰易義，王氏兄弟皆以易名，可知其所受者遠矣。故弼之易，以六書通借，解經之法尚未遠於馬、鄭諸儒，特貌爲高簡；故疏者輒視爲空論耳！蓋有見於說易者，支離傅會，思去僞以得其眞，而力不能逮，故知卦變之非而用反對，知正氣之妄而用十二辟，唯之與阿，未見其勝也。至局促於乘承比應之中，顢頇於得意忘象之表，道消道長，旣偏執於扶陽，貴少貴寡，遂漫推夫卦主。智慮不出乎六爻，時世謬拘於一卦；不足與言通變神化之用也。然於觀則會及全蒙，於損亦通諸剝道，聰不明之傳，以明比例之相同，觀我生之爻，頗見升降之有合，機之所觸，原有悟心；然則弼之易未可屏之不論不議也。於是每夕納涼柘籬蕉影閒，縱言王弼易，門人錄之得若干條，立秋暑退，取所錄次爲二卷。按先生言易，頗主王弼說，與當時諸漢學家不甚同，其取舍之間，具見此序，故全錄之。

先生醫經餘論序：吾友羅君浩，字養齋，涉臘經史，兼通於醫，病市醫不讀書，撰醫經餘論若干篇。嘉慶壬申冬十月望，江都焦循書於半九書塾之蜜梅花館。

嘉慶十八年，癸酉，（公元一八一三年）先生年五十一歲。

家居注易，自立一簿，以稽所業。

阮元焦君傳：自癸酉立一簿，自稽所業，得三卷，曰注易日記。

先生易通釋自序：癸酉二月，自立一簿，以稽考其業，歷夏迄冬，庶有所就，訂爲二十卷，皆舉經傳中互相發明者，會而通之也。嘉慶十八年十一月冬至前二日。

先生易圖略自序：余學易，所悟得者有三：一曰旁通，二曰相錯，三曰時行；此三者皆孔子之言也。夫易猶天也，天不可知，以實測而知，本行度而實測之，天以漸而明；本經文而實測之，易亦以漸而明。非可以虛理盡，非可以外心衡也。而此三者，乃從全易中自然契合，既撰爲通釋二十卷，復提其要爲圖略，凡圖五篇，原八篇，發明旁通、相錯、時行之義。論十篇，破舊說之非，共二十三篇，編爲八卷，次通釋後。嘉慶癸酉十一月冬至前五日。按先生易學三書，一章句，二通釋，三圖略，章句無序記，餘二書序皆作於此年，其後數年，仍有增損，嘉慶二十一年乃定也。

阮元焦氏雕菰樓易學序：江都焦氏，居北湖之濱，下帷十餘年，足不入城市，尤善於易。取易之經文與卦爻實測之，得所謂旁通者，得所謂相錯者，得所謂時行者。舉六十四卦三百八十四爻，盡驗其往來之跡，於經文之中，而知其所以然，益深明乎九數之正負，比例六書之假借轉注，而後使聖人執筆著書之本義豁然大明。於數千年後聞所未聞者驚其奇，見所未見者服其正。焦君之易，曰章句十二卷，曰通釋二十卷，曰圖略八卷，其大旨見於圖略，而旁通三十證，尤爲顯據，可例其餘。或曰：「比例爲圖，因其末之同，而溯其本如此，則所通不幾多乎？」元曰：『此正可見聖人之易，錯綜參伍，化裁推行，聖人不能一一悉舉之，特各於相通處，偶舉一隅，以示其例，而賅其餘。』或曰：「通釋多因假借而引申之，不幾鑿乎？」元曰：『古未有字，先有言、有意，伏羲畫☰☷；至倉頡始造乾坤之字，故徒言遯，而遯與豚同意；徒言疾，而疾與蒺同意；傳謂書不盡言，言不盡意，即此道也。』按先生旁通三十證，見易圖略卷一，文繁不錄。

阮元焦君傳：成易通釋二十卷，自謂所悟得者，一曰旁通，二曰相錯，三曰時行。旁通者在本卦初與四易，二與五易，三與上易，本卦無可易，則旁通於他卦，亦初通於四，二通於五，三通於上，先二五，後初四三上爲當位，不俟二五，而初四三上先行爲失道。易之道，惟在變通，二五先行，而上下應之，此變通不窮者也。或初四先行，三上先行，則上下不能應，然能變而通之，仍大中而上下應，如乾四之坤初，成小畜復失道矣。變通之，小畜二之豫五，姤二之復五，復初不能應，姤初則能應。小畜四不能應，豫四則能應。坎四之離上，成井豐失道矣。變通之，井二之噬嗑五，豐五之渙二，豐上不能應，渙上則能應；井三不能應，噬嗑三則能應，此所謂時行也。比例之義，出於相錯，如睽二之五爲无妄，井二之噬嗑五亦爲无妄，故睽之噬膚，即噬嗑之噬膚；坎三之離上成豐，噬嗑上之三亦成豐，故豐之日昃，即離之日昃，豐之日中，即噬嗑之日中，漸上之歸妹三，歸妹成大壯，漸成蹇，蹇大壯相錯成需，故歸妹以須之，即需也。歸妹四之漸初，漸成家人，歸妹成臨，臨通遯，相錯爲謙履，故眇能視，跛能履。臨二之五，即履二之謙五之比例也。按先生易圖略八卷，一旁通圖，二當位失道圖，三時行圖，四八卦相錯圖，正比例圖，述所悟易學甚詳，阮氏此文，約舉彼書也。

先生詩：塾中海棠自戊辰開後，四、五年不花，癸酉春三月盛開，光豔照人，花老矣，恐發洩太過，明歲又將不花，流連不已，記之以詩：「尚擁羊裘小檻邊，燕支萬點恰當筵；坐看春盡如殘臘，且喜花開勝舊年。夜雨關心頻起早，野桃生妒莫爭先；同心只有丁香結，慚愧霜毛欲墮顛」。

焦廷琥先府君事略：府君嘗稱凌沖子先生、李尚之先生、汪孝嬰先生爲論天三友。凌、李兩先生，皆先後没，歲癸酉孝嬰先生去世。其高弟胡竹村舍人，以書來屬府君作傳，府君竭十日力，細讀衡齋算學，掇其菁英，撰別傳一篇。

嘉慶十九年，甲戌，（公元一八一四年）先生五十二歲。

家居，易學三書稿粗就。

先生毛詩補疏自序：余幼習毛詩，嘗爲地理釋、草木鳥獸蟲魚釋、毛鄭異同釋三書，共二十餘卷。嘉慶甲戌莫春，刪錄合爲一書。

先生里堂道聽錄序：余生質極鈍，交遊素少，然每有以著作教我者，無論經史子集，以至小說詞曲，必詳讀至再至三，心有所契，別手錄之，歷二、三十年，盈二尺許矣。今歲所著易學三書稿粗就，而陽氣虛憊，不耐冥思，性又不樂閒曠，求爲其易不甚用思者，夏秋以來，乃取此而編次之，爲五十卷。忠臣孝子、義士貞婦，心之所慕，恨不能徧，斷獄捕盜亦錄之者。余素有志以州縣官效職而用爲師法也，朝廷典禮，宰輔經綸，則非分所宜言，故不及。其男女贈答，誇淫鬥麗，余所深惡，特絕之。先是壬戌癸亥間嘗編之，名道聽錄，今仍其名。嘉慶甲戌秋七月，書於紅薇翠竹亭。

阮元雕菰樓易學序：元於嘉慶十九年夏，過北湖里中，見君問易法，君匆匆於終食間舉三十證語元，元即有聞道之喜。按此謂旁通三十證，見易圖略，文繁不錄。

嘉慶二十年，乙亥，（公元一八一五年）先生年五十三歲。

家居，治易兼及他經。

先生詩：乙亥春，丁香海棠盛開，喜羅養齋、汪掌廷至。

先生九經三傳沿革例序：乙亥仲春，小雨新晴，開窗，置長几，焚香對花，展此卷詳閱，則三本互有優劣。按三本，指任刻，鮑刻，汪刻。

先生揚州足徵錄序：文粹之稿，向來分存於所纂輯之人，未嘗選訂。今年乙亥，伊公入都補官，道過揚州，五月二十一日會於雷塘之阮公樓，按先生與伊墨卿，阮仲嘉同遊雷塘事，見先生所作雷塘話雨記，文繁不錄。語及圖經，因詢文粹，歸檢舊簏，稿之存於余處者具在，爲次第之。自七月至於九月，粗有端緒，而伊公則以肺病卒於揚州邸寓，遂爲此書目錄一卷，名之曰揚州足徵錄。文粹者存揚人之文，足徵錄者存揚州之事，共得文三百一篇，爲卷二十有七。嘉慶二十年九月霜降日，書於半九書塾之雕菰樓。

徐熊飛雕菰集序：曩者薄游維揚，焦理堂先生出詩相質，越十七年，復客邗上，先生有才子曰虎玉，復以詩相質。按此序作於此年，故繫於此。

嘉慶二十一年，丙子，（公元一八一六年）先生年五十四歲。

先生易學三書四十卷成，冬纂孟子長編。

阮元焦君傳：力彰家鄉先哲，勤求故友遺書，孜孜不倦，黃玨橋有老屋一區，爲前明忠臣梁公于溪之故宅，君買修之，扁曰「北湖耆舊祠」，設木主三十位，祀嘗居北湖、忠孝行誼載於史志、足爲鄉人表率者。復揭三十人事實於壁，里人頗觀感焉。按先生請立北湖耆舊祠狀文，末題是年正月二十三日，則其立祠當在上年，今依立狀日繫於此。

先生論語補疏序：余幼時讀毛詩訖，即讀論語，不能豁悟。自學易以來，乃知易隱言之，論語顯言之，其文簡奧，惟孟子闡發最詳最鬯。論語一書之中，參伍錯綜，引申觸類，互相發明之處，亦與易例同。余向嘗爲論語通釋一卷，以就正於吾友汪孝嬰，孝嬰苦其簡而未備，迄今十二年，老病就衰，因刪次諸經補疏，訂爲論語補疏二卷，丙子四月立夏日。

周中孚鄭堂讀書記：論語補疏二卷，焦循撰，雖云補邢疏之未備，並糾其謬誤，大都自爲起議者居多，亦頗發揮盡致。考其作孟子正義，輒以孟子爲發明伏羲文王之恉，而於論語亦復爾爾，蓋易爲五經之源，各經俱通得去也。

先生上座師英尚書書：乙亥成易學四十卷，稿雖數易，未敢語人，今年擬以此稿呈請教誨。五月間親自手寫，至十月，左臂筋痛，牽掣右腕，不能速書，倩他人寫完。求賞大序一篇，冠之卷首，不勝悚惕依戀之至。嘉慶丙子十二月初一日。按煦齋序作於次年四月，今刊易學三書之首。

先生孟子正義：弱冠即好孟子書，立志爲正義以學，他經輟而不爲。茲越三十許年，於丙子冬，與子廷琥纂爲孟子長編三十卷，越兩歲乃完。按先生孟子正義無序、跋，此見書末附注。

嘉慶二十二年，丁丑，（公元一八一七年）先生年五十五歲。

先生自訂雕菰集二十四卷，纂孟子長編。

先生雕菰集總目跋：右共二十四卷，文三百二十六篇，詩四百二十首。嘉慶二十二年歲在丁丑正月二十九日，江都焦循手訂於半九書塾之仲軒。

先生雕菰集目錄跋：自乾隆戊戌己亥，習爲詩文辭，迄今垂四十年，所積頗盈笥簏，屢加選訂，而未能定。去秋左臂筋掣，右腕幾不可筆，心甚怏怏。十月烏頭丸，日服一錢，掣處漸柔活，遂可執筆。因先取詩文草稿理之，錄爲二十四卷，既成，編爲目錄一卷如右。嘉慶二十二年歲次丁丑二月九日，江都焦循手訂於半九書塾之雕菰樓。按本集卷五，有「薄暮坐紅薇，翠竹亭望湖」詩，題下注云：「時己卯十二月。」卷四有至後詩序云，「自去歲以來，未曾作詩，偶有所興，半月始成。時戊寅十二月十八日。」戊寅爲次年，己卯則又後一年，集中均載之。又群經補疏諸序，有四首在戊寅作，亦編入集中。知訂集雖在是年，而隨時有增益也。

阮元焦君傳：又舉國朝人著述三十二家，作讀書三十二贊，又著貞女論二篇，愚孝論一篇，皆有補於世教。按諸文皆在集中，無年可繫，姑錄於編集之年。手自訂者，曰雕菰集二十四卷，詞三卷，詩話一卷。

先生與朱椒堂兵部書：十年不晤，僻處湖濱，專力學易，著有雕菰樓易學一書，嘗手寫兩通，一就正於阮宮保，一就正於英大冢宰，均蒙獎掖，思與吾兄商訂之，以卷帙多，未及更寫，姑言大略。易之道，大抵教人改過，即以寡天下之過，改過全在變通，能變通即能行權，所謂使民宜之，使民不倦。而卦畫之所之，其比例齊同，有似九數，其辭則指其所之，亦如句股割圜，用甲乙子丑指其變動之跡，吉凶利害，視乎爻之所之，泥乎辭以求之，不啻泥甲乙子丑之義以索算數也。其辭之同，有顯而明者，如密雲不雨，自我西郊，小過小畜同，先甲三日，先庚三日，蠱與巽同，其冥升、冥豫、敦復、敦艮、敦臨，同人于郊，需于郊之類，多不勝指數。又多用六書之轉注假借，轉注，如冥即迷，顛即窒，喜即樂；假借，如借繻爲需，（說文）借蒺爲疾，（韓詩外傳）借豚爲遯，（黃穎說）借祀爲巳，（虞翻）推之，鶴即隺然之隺，祥即牽羊之羊，祿即即鹿之鹿，礿即納約之約，拔即寡髮之髮，昧即歸妹之妹，胏即積德之積，沛即朱紱之紱，彼此訓釋，實爲兩漢經師之祖。循以離群索居，獨學無耦，漫以大略，請教先生，以爲如何？嘉慶二十二年秋八月十九日。

先生周易用假借論：六書有假借，本無此字，假借同聲之字以充之，則不復更造此字，如許氏所舉令長。又有從省文爲假借者，如省狎爲甲，省旁爲方，省杜爲土，省虞爲吳，避繁就簡，猶可言也。惟本有之字，彼此互借，如麓錄二字，壺瓠二字，本皆有者也，何必互借，疑之最久。近者，學易十數年，悟得比例引申之妙，乃知彼此相借，全爲易辭而設，如豹犳同聲，與虎連類而言，則借犳爲豹，與祭連類而言，則借豹爲犳；沛紱同聲，以其剛揜於困下，則借沛爲紱，以其成兌於豐上，則借紱爲沛，各隨其文以相貫。竊謂本無此字，而假借者作六書之法也；本有此字，而假借者用六書法也。古者命名辨物，近其聲即通其義，聞其名即知其實，用其物即思其義。欲其夷也，則以雉名官；欲其聚也，則以鳩名官；欲其戶止也，則以扈名官；以曲文其直，以隱蘊其顯，施諸易辭之比例引申，尤爲神妙矣。故柏人之過警於迫人，秭歸之地原於姊歸，髮忽蒜而知算盡，慕容紹宗事履露卯而識陰謀，晉五行志即楊之通於揚，娣之通於稊也。梁簡文、沈約等集有藥名、將軍名、郡名等詩，即箕子帝乙，蒺藜莧陸之借也。合艮手坤母而爲拇，合坎弓艮瓜而爲弧，即孔融之離合也。樽酒爲尊卑之尊，蒺藜爲遲疾之疾，即子夜之雙關也。文周繫易之例，晦於經師，尚存其跡於文人詩客之口。易辭之用假借，似俳也而妙，似鑿也而神，非好學深思，心知其意者，不足與言也。按先生本易學專門，其以九數六書說易，尤爲特創，故錄其文最多。

先生左氏春秋傳補疏序：余幼年讀春秋，好左氏傳，久而疑焉。及閱杜預集解，疑茲甚矣。已而閱三國魏志，杜畿傳注，乃知預爲司馬懿女婿，忘父怨而竭忠於司馬氏，既目見成濟之事，將有以爲昭飾，且有以爲懿師飾，即用以爲己飾，此左氏春秋集解所以作也。四明萬氏充宗，斥左氏之頗，吳中惠氏半農，正杜氏之失，無錫顧氏棟高，糾杜氏之誤，而預撰集解之隱衷，則未有摘其奸而發其伏者。余深怪夫預之忘父事仇，悖聖經以欺世，摘其說之大紕繆者，稍疏出之，質諸深於春秋者。嘉慶丁丑冬十二月除夕。

周中孚鄭堂讀書記：春秋左傳補疏五卷，焦循撰。里堂補疏集解外，間及釋例，以闢杜氏之邪說爲主，而不徒詳核乎訓故名物而已。

嘉慶二十三年，戊寅（公元一八一八年）先生年五十六歲。

刪訂群經補疏，冬草孟子正義，立簿逐日稽省，與前注易同。

先生易話序：余既成易學三書，憶自壬戌以來，十數年間凡友朋門弟子所問答，及於易者，取入三書外，多有所餘，復錄而存之，得二卷，目之爲易話；以其言質，無深奧云爾。嘉慶戊寅三月三日。

先生尚書補疏自序：東晉晚出尚書孔傳，今日皆知其僞，雖然論其爲魏晉間人之傳，則未嘗不與何晏、杜預、郭璞、范寧先後同時，余嘗綜其傳，平心論之，有七善。（按七善說文繁從省。）爲此傳者，蓋見當時曹、馬所爲，爲之說者，有如杜預之解春秋，束晳等之僞造竹書，舜可囚堯，啓可殺益，太甲可殺伊尹，上下倒置，君臣易位，邪說亂經，故不憚改益稷，造伊訓太甲諸篇，陰與竹書相齮齕，又托孔氏傳以黜鄭氏，明君臣上下之義，屏僭越抗害之譚，以觸當時之忌；故自隱其姓名。余既集錄二十八篇之解爲書義叢鈔，所有私見，著爲此篇，與叢鈔相表裡云。嘉慶戊寅夏四月下弦。（按廷琥所撰事略，知叢鈔凡四十卷，所採錄者共四十一家，五十七種云。）

周中孚鄭堂讀書記：尚書補疏二卷，焦循撰。此編與叢鈔原可合爲一書，所以分爲二者，欲與各補疏一例也。里堂本易學專門，而忽涉獵諸經，以爲補疏，竟以馬鄭古義爲不及僞傳。時尚書今古文注初出，里堂尚未肄業及之耳。（按先生序中，曾述及江艮庭、孫淵如之書，謂於孔傳亦多取之，是非未見今古文注也，鄭堂說誤。）

先生周易補疏自序：歲壬申，余撰易學三書漸有成，夏月納涼，縱言王弼易，門人錄之次爲二卷。按此段互詳壬申年。迄今七年，易學三書既成，復取此稿訂之，列諸群經補疏之首；有治王弼易者，此或可參焉否也。嘉慶戊寅五月五日。

先生毛詩補疏自序：余幼習毛詩，嘗爲地理釋、草木鳥獸蟲魚釋、毛鄭異同釋三書，二十餘卷。嘉慶甲戌莫春，刪錄合爲一書，戊寅夏又加增損爲五卷，次諸易尚書補疏之後。嘉慶二十三年夏六月既望。按互詳甲戌年。

周中孚鄭堂讀書記：毛詩補疏五卷，焦循撰。大旨精審，於聲音訓詁之間，辨別毛鄭異同之數，而因以及孔疏之是非，其於地理名物尤擇之精，而語之詳，誠以是書合正文而並讀之，於學詩也何有。

先生禮記補疏自序：周官、儀禮一代之書也，禮記萬世之書也，必先明乎禮記，而後可學周官、儀禮。余鄉讀禮記，嘗爲索隱一書，西鄉徐心仲將草稿持去，已而徐物故，莫知所在，十數年來，專力於易，未之計也。甲戌夏，尋得零星若干條，次爲五卷，今復刪爲三卷，皆少作。第考究訓詁名物，於大道未之能及。衰病氣羸，亦不復能闡其精微而增益之矣。嘉慶戊寅七月朔日。按先生群經補疏次第，一周易三氏注，二尚書孔氏傳，三毛詩鄭氏箋，四左氏春秋傳杜氏春秋集解，五禮記鄭氏注，六論語何氏集解。今以刪訂作序之年月爲序，故先後參互隔絕也。

先生易廣記序：余之學易也，自漢魏以來，至今二千餘年中，凡說易之書，必首尾閱之，其說有獨得者，則筆之於策，可以廣見聞，益神智；因名之曰「易廣記」云。嘉慶戊寅七月下弦記。

焦廷琥先府君事略：前年戊寅冬，府君謂不孝曰，李欒城之學，余既撰天元一釋以闡明之，而測圓海鏡、益古演段兩書不詳開方之法，以常法推之不合，讀者依然溟涬黯黮，莫窺彷彿。余得秦道古數學九章，有正負開方法，推而算之，因以同名相加，異名相消，用超用變之法，詳示不孝。不孝乃知以秦氏之法，讀李氏之書，布策推算，一一符合，六十四問，每問皆詳。晝其式，府君喜曰：『得此而演段可以讀矣。』即命名曰「益古演段開方補」，且曰：『可附算學記之末。』按今里堂算學記後，未附此書。

裔榮易學三書跋：先生書成，嘗以程伊川作易傳，期七十其書乃出，因亦以十年待之，適英大冢宰手書令刻，榮等亦勸先生，乃翻然曰：『聖人之學，雖再閱三、五十年，亦奚敢云能盡。且年來因易學而悟得孟子之學，撰孟子正義，與易學相發明，乃先以易學質諸世。』遂於戊寅之秋，授榮等校讎付梓。按此序作於己巳十一月，殆是刻成之日，當刻時先生尚時有更定，見纂孟日記也。

先生撰孟子正義日課記：雕菰易學三書既脫稿，遂與廷琥寫本朝三十餘家之書爲孟子長編。因將纂成正義，恐志有懈弛，立簿逐日稽省，如前此注易云。里堂記。按先生注易有日記，見先生易通釋自序，及阮氏焦君傳，而撰孟日記，前此所未詳，近人吳承仕從故紙中錄出，此後兩年中事，即以此記爲本。

又：嘉慶二十三年，戊寅十二月初七日庚午開筆撰孟子正義。

嘉慶二十四年，己卯（公元一八一九年）先生年五十七歲。

纂孟子正義，兼訂諸舊稿，足疾時作。

先生撰孟日記：五月十五日，草第七章完，以上二十一卷。廿一日草第十八章完，以上二十二卷。六月初四日草第六章完，以上二十三卷。初六日英尚書師寄集蘇句聯一付：「手植數松今偃蓋，夢呑三畫舊通靈。」按畫字缺，據阮氏焦君傳補。初八日晚晴，月來病足，步履維艱，有所翻檢，不能自取。令大孫授易取之，凡注疏說文及漢魏諸書，示以所在，尚能不誤；次孫授書，亦能撿經籍纂詁。十二日草二十四卷。十八日草二十八卷。十九日足疾，坐內室不能起者，前後共十二日，痛楚無聊。扶坐牛皮床，日草花部農談數行，雖諧謔短書，然有悟處，因刪而錄之爲一卷。按吳承仕曰，花部農談一卷，南陵徐乃昌據先生原稿校刻於懷豳雜俎中。其自序云「梨園舊尚吳音，花部者，其曲文俚質，共稱亂彈者也。郭外各村，於二、八月間，遞相演唱，余特喜之，每攜老婦，乘駕小舟，沿湖觀閱，天既炎暑，田事餘閒，群坐柳陰豆棚下，侈談故事，多不出花部所演。余因略爲解說，有村夫子筆之於冊，余曰此農談耳，爲芟存數則云爾。」嘉慶己卯六月十八日立秋，焦循記。二十五日，草二十六卷。七月初五日書將完，連日考核甚細，告子盡心，較離婁萬章功爲深，而下孟較上孟又功爲深也。十三日草題辭完。十四日草篇敘完，次爲三十卷。十五日改易通釋卷十九恆字條。按先生易學三書已寫定，此猶改釋，知先生專心於易，無一時之或懈也。十七日草稿既成，乃討論於群書。八月初一日，次孫授書粗解，爲五言律詩，其思甚苦，而間有好句，且不鄙俗，間日課之，用以自怡。初八日暇，則編易餘籥錄。按阮氏焦君傳云「君易學既成，數年中有隨筆記錄之書，編次之，得二十卷，曰易餘籥錄」。九月初四日，授書十歲生日。十三日水溢齋下，得一絕句：「黃河秋漲水連天，排闥新添幾尺泉；獨立小樓讀周易，燈光和月到燈前。」按吳承仕謂此詩不載集中，又汪東疑下燈字有誤。二十七日燈下改易章句，豫彖傳，巽上九傳，姤上九傳，序卦受之以復一條。十月初九日，足疾發。二十七日，增改正義第三十卷。十二月初九日，撰陰陽治亂論，補入易話上卷。十三日阮宮保寄王伯申經傳釋詞來，閱之，擇其說孟子若干條入正義。十六日，自初一日以來，兩足筋攣，不良於行。二十五日，足疾稍愈。二十六日，增補書義叢鈔。

嘉慶二十五年，庚辰，（公元一八二〇年），先生年五十八歲。

纂孟子正義，並刪訂諸舊稿。足疾時作，夏足疾甚，且病瘧。七月二十七日卒。

阮元焦君傳：歲庚辰夏，足疾甚，且病瘧，以七月二十七日卒。距生於乾隆癸未二月三日，得年五十有八。妻阮氏，子廷琥廩生，孫三，授易、授書、授詩。君善讀書，博聞強記，識力精卓，於學無所不通，著書數百卷，尤邃於經。

先生纂孟日記：正月初一日，增補書義叢鈔，草道德理義釋一篇入易話中。十二日閱三國志，至閻溫傳，引孫賓碩傳，採入正義卷一。十九日增孟子正義。二十五日燈下覆校易通釋卷一。二十八日汪生來，爲作小像。二月初六日至初十日，寫錄孟子正義卷一。十一日至十四日，寫錄孟子正義卷三十，十五日至二十四日，寫錄孟子正義卷二十二。二十五日至三十日，再寫孟子卷一。四月初十日，增改孟子正義卷一。十二日至二十二日，寫孟子正義卷二十二。二十三日至五月初二日，寫孟子正義卷二十三。初三日至初九日，寫孟子正義卷二十四。初十日至二十二日，寫孟子正義卷二十五。二十五日至六月初五日，寫孟子正義卷二十六。初六日至初八日，寫孟子正義卷二十七。初九日至十六日，寫孟子正義卷二十八。十七日至二十三日，寫孟子正義卷二十九。二十二日至二十五日，寫孟子正義卷三十。二十九日至初八日，寫卷二按吳承仕曰：「黃岡王君鴻甫，以所藏先生手寫道聽錄殘稿見示，都五十餘葉，細審紙背，尚有字跡，反復諦察，則晚年撰孟子正義之日課也。」先輩著書治學之勤，足以考見。中有殘闕，而首尾略具，終於嘉慶二十五年七月初八日，距卒僅十九日耳，蓋絕筆於此，未可知也。

周中孚鄭堂讀書記：孟子正義三十卷，焦循撰。理堂以古之精通易理，深得羲文周孔之指者，莫如孟子，生孟子後，而能深知其學者，莫如趙氏。惜僞疏踳駁乘舛，文義鄙俚，未能發明其萬一。於是博採經史傳注，以及本朝通人之書，凡有關於孟子者，一一纂出，次爲長編；復討論群書，删繁補缺，采成是疏。

趙氏章句既詳爲分析，則爲之疏者，不必徒事敷衍，文義順適口脗，效毛詩正義之例，以成學究講章之習。趙氏訓詁，每疊於句中，故語似蔓衍，而詞多佶聱；發趙氏之意，指明其字中訓詁，自爾文從字順，條鬯明顯，於趙氏之說，或有所疑，不惜駁破，以相規正。至備錄參考，凡六十餘家，皆稱某氏著，其所撰書名，閒有己見，用謹案字別之。其子廷琥，有所見亦本范氏穀梁之例，錄而存之；（按以上鄭堂所述，大概本之正義卷末注語，及焦徵所撰目錄跋。）其於訓詁名物，考證最詳，而於仁義道德性命之類，尤能推闡入微，絕不落宋明諸儒科臼。大率本之程易疇論學小記，戴東原著孟子字義疏證爲多；且於孟子之言通於易，堪與論語、中庸、大學相表裡者，闡發更無餘蘊，從來解孟子者，無此實事求是也。而或者以其間引及李厚菴榕村藏稿，自記姚秋農求是齋自訂稿短之，不知兩家雖屬紙尾之學，而言有當於趙注，便即取以相證；此正理堂不遺葑菲之意，學者亦可無庸過詆矣。書垂成而歿，僅存手稿。至道光乙酉，其弟徵校而梓之，並爲敘略。（按先生纂孟日記所載，則正義初稿，成於上年七月十七日，復討論群書，續爲增補，僅得數卷，而先生歿。未有成書，故弟徵，子琥爲之補訂也。）

焦廷琥先府君事略：府君易學既成，思爲孟子正義，乃於丁丑冬，令不孝查寫編爲長編十四帙。戊寅十二月開筆撰正義，簡擇長編之可採與否者，有不達則思，每夜三鼓後不寐，擁被尋思：某處當檢某書，某處當考某書。天將明少睡片刻，日上紙窗，府君起盥漱，即依夜來所尋思，一一檢而考之。語不孝曰：『著書各有體，非一例也。有全以己見貫串取精，前人所已言不復言，余撰易學三書，及六經補疏是也；有全錄人所已言，而不參以己見，余輯書義叢鈔是也；有採撰前人所已言，而以己意裁成損益於其間，余所撰孟子正義是也；各有所宜，亦各有所難。初稿最難，今已成十九卷有奇，未成僅十卷耳。』己卯七月十四日，孟子正義草稿成，次爲三十卷。庚辰正月修改，手寫清稿三卷，就正於舅父阮芸臺先生，七月共手錄十二卷而病作，猶以未能錄完爲憾。語不孝曰：『孟子正義無甚更改，惟所引書籍，仍宜逐一校對，恐傳寫有誤耳。』府君自癸亥家居，至庚辰十八年中，著書約三百卷，成不朽之業，而心血實耗於此矣。

阮元焦君傳：君性誠篤直樸，孝友最著，恬淡寡欲，不干仕祿；居恒布衣蔬食，不入城市，惟以著書爲事，湖山爲娛；先輩中如錢辛楣、王西莊、程易田諸先生，皆推敬之。子廷琥，能讀書，傳父學，端士也。評曰「焦君與元，年相若，且元族姊夫也，弱冠與元齊名，自元服官後，君學乃精深博大，遠邁於元矣。今君雖殂，而學不朽，元哀之切、知之深。綜其學之大指，而爲之傳，且名之爲通儒，諗之史館之傳儒林者，曰、斯一大家，曷可遺也。」

羅士琳疇人傳續編：欲完天元之術，必先明正負開方之理，而天元之爲用甚廣，昔郭太史授時術，尚用之以求弧矢，是不獨可賅九章，尤治曆者所必不可少也。里堂天元、開方二釋，闡明其法，使人人通曉，較梅文穆之僅辨天元爲借根方所本，其功不更鉅哉！且里堂以通儒而兼精天學，其哲嗣虎玉又能克紹門業，可謂不愧古人，有光梓里矣。

焦徵先兄事略跋：亡姪處苦塊中，哀泣之餘，且校且謄，惟恐不及。一年前病吐血，至是復作，肌膚瘦削，委頓不支，醫者謂宜服參茸，姪以値貴難之。先兄執友汪君掌廷；致書勸諭，謂宜保身，以傳父學，勿惜費喪身，情詞懇切，不下千餘言。姪爲感泣，慨然棄產，得千金購參茸，療治月餘，精神振作。然病中校閱父書，未肯少怠，至是自喜病解，校閱益勤，心血久虧，醫藥無功，以道光元年二月十二日歿。歿前數日，持父書叩頭向徵曰：『父書未刻，母老子幼，孟子正義尤其心血結成，少有餘資，即先付刻。』又出所自著數種，謂益古演段補，父所許可。詩四卷，徐雪廬先生訂正餘稿，尚須芟改檢視，則益古演段補二卷，讀詩小牘二卷，儀禮講習錄二卷，禮記講習錄二卷，弁服考四卷，春秋三傳異同考四卷，地圓說一卷，北湖舊族表四卷，詩四卷，文二卷，詞一卷。亡姪名廷琥，字虎玉，江都學廩膳優生，每試輒置高等，尤以詩賦經解，見賞於學使文、湯二公；自幼篤實，不務浮名，於先兄之學，一一皆能領會。

按文學山房本雕菰樓集附蜜梅花館文錄、詩錄各一卷，卓然大雅，不媿名父之才子也。先生卒後一年，亦哀毀而亡，余輯年表，故以虎玉書附焉。

附錄一　里堂著書目

易章句十二卷。焦氏雕菰樓叢書本，按此本有嘉慶焦氏原刻，及光緒丙子衡陽魏氏補刻，又皇清經解本，又皇清經解分經合纂本。

易圖略八卷。焦氏叢書本，經解本，經解合纂本。

易通釋二十卷。同上三本。

易話二卷。焦氏叢書本。

易廣記三卷。焦氏叢書本，按前三種合稱易學三書，合後二種，一稱易學五書。

易餘籥錄二十卷。木犀軒叢書本。

周易補疏二卷。焦氏叢書本，經解本，經解合纂本，按此與下五種補疏，合稱群經補疏。

詩陸氏草木鳥獸蟲魚疏二卷。南菁書院叢書本，按先生集中，亦稱毛詩草木鳥獸蟲魚釋。

毛詩傳箋異同釋二卷。見定香亭筆談，按先生集中，亦稱毛鄭異同釋。

毛詩地理釋四卷。見阮氏焦君傳，按揚州畫舫錄，作毛詩釋地七卷。

陸璣疏考證一卷。見阮氏焦君傳，按先生集中，謂此附毛詩草木鳥獸蟲魚釋後。

毛詩補疏五卷。焦氏叢書本，經解本，經解合纂本。

尚書補疏二卷。同上三本。

書義叢鈔四十卷。見阮氏焦君傳。

禹貢鄭注釋二卷。焦氏叢書本。

禮記補疏三卷。焦氏叢書本，經解本，經解合纂本。

禮記索隱數十卷。見揚州畫舫錄。

春秋左氏傳補疏五卷。焦氏叢書本，經解本，經解合纂本。

論語補疏三卷。同上三本。

論語通釋一卷。木犀軒叢書本，清代學術叢書初集本。

孟子正義三十卷。焦氏叢書本，經解本，經解合纂本，坊間通行本。

群經宮室圖二卷。焦氏叢書本，經解續編本。

加減乘除釋八卷。焦氏叢書本，測海山房中西算學叢書本。

天元一釋二卷。同上二本，又箸易堂排本。

釋弧三卷。同上二本。

釋輪二卷。同上二本。

釋橢一卷。同上一本，按以上五種合稱里堂算學記。

開方通釋一卷。木犀軒叢書本。

乘方通釋一卷。見定香亭筆談，揚州畫舫錄，近人李儼中國算學史，謂北平圖書館藏有先生手稿本。

孫子算經注。見定春亭筆談。

補衡齋算學第三冊一卷。見李儼中國算學史。

釋交。見揚州畫舫錄。

揚州足徵錄二十卷。適園叢書本，按先生輯錄其目一卷，今所刻者，乃後人據目求其文以實之也。

邗記六卷。揚州叢刻本。

北湖小志六卷。焦氏叢書本，又原刻單行本二卷。

劇談一卷。徐氏刻曲苑本。

花部農談一卷。徐氏刻懷豳雜俎本。

雕菰樓醫說一卷。見廷琥撰事略。

種痘書一卷。見阮氏焦君傳。

沙疹吾驗篇一卷。見廷琥撰事略。

李氏醫記二卷。焦氏叢書本。

雕菰樓集二十四卷。文選樓叢書本，江氏聚珍文學山房叢書本，商務排印叢書集成本，又徐氏刻里堂先生逸文一卷。

紅薇翠竹詞一卷。傳硯齋叢書本。

詩話。見阮氏焦君傳。

注易日記三卷。見阮氏焦君傳。

纂孟日記。刊入華國雜志，無單行本。

里堂道聽錄五十卷。見阮氏焦君傳。

八五偶談一卷。見廷琥撰事略，按據廷琥所述，此書乃闡發形家向上坐山之說者。

附錄二　江都北湖焦氏世系圖

按先生曾纂修焦氏族譜，今未克見，此據北湖小志卷六，家述篇記載焦氏世系甚詳，節取與先生支派較近者，列爲圖表，以便觀覽。廷琥以下，則據他文補入，旁及女系，用近人例也。（詳見下頁）

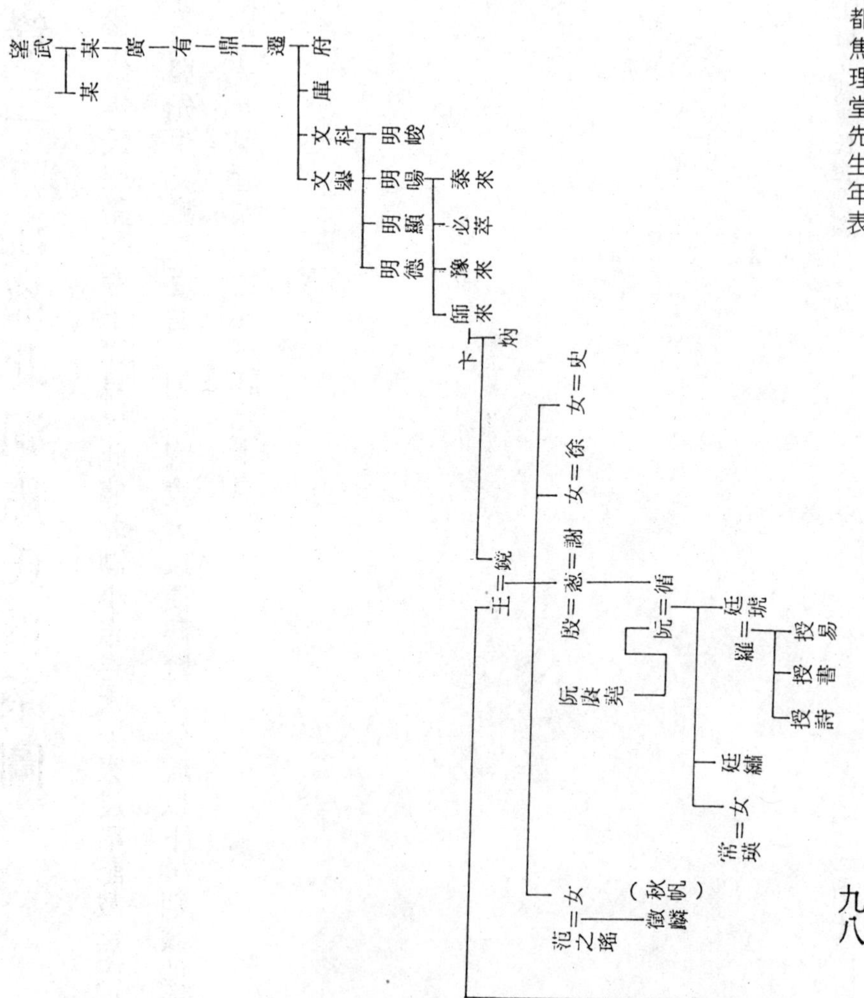

武望
某
某
有
鼎
遷
府
文科
文舉
明峻
明暘
明顯
明德
泰來
必萃
豫來
師來
卞
炳
女＝史
女＝徐
殷＝葱＝謝
王＝鏡
阮＝循
廷琥
授易
授書
授詩
女
范之路
徵麟
（秋帆）
王納諫
王藻
方魏
（大名）
祖修

附錄三　理堂年表節本

理堂先生爲清乾嘉間通儒，其專詣在於易理，而旁及群經，皆有補疏，算數訓詁，用思尤勤，卓然爲一代學術之宗，有以也。余來揚州，前後積十餘年，嘗繙閱先生遺著，嘆其精深博大，探擷難窮，而其爲學之勤，老而彌篤，皆足以爲今世學人模楷。余又久留先生故里，神往於黃玨白茆之閒，因發願爲之年表，庶幾稍稍窺見先生之行跡，與其學術大概，寫成一帙，凡四、五萬言，以其過繁，删存十一爲此篇。付揚州中學十周年記念刊印布之。文雖簡約，仍不失先生之精神面目也。

先生姓焦氏，名循，字理堂，一作里堂。世居江都黃玨橋，黃玨橋在白茆湖北，亦稱北湖。其先世自明永樂間聚處於斯，世以忠厚退讓爲法。曾祖源，江都縣學生，祖鏡、父蔥皆方正有隱德。世傳王氏大名先生之易學。大名先生名方魏，亦居北湖，先生祖母之祖也。遵父命不仕，杜門研易。故先生之祖若父，皆傳其學，先生之深於易理，淵源有自矣。以上見阮元研經室集通儒焦君傳，及先生所撰先考事略。

乾隆二十八年，癸未，（公元一七六三年）先生一歲。

是年二月三日，先生生，乳名橋慶。見阮傳及先生書徐文長集後。

乾隆三十年，乙酉，（公元一七六五年）先生三歲。

先生三、四歲即穎異，嫡母謝孺人撫育之。見同上文。

乾隆三十三年，戊子（公元一七六八年）先生六歲。

是年先生始入塾讀書，受業於范秋帆先生。見先生所撰半九書塾後記。

乾隆三十五年，庚寅，（公元一七七〇年）先生八歲。

八歲至公道橋阮氏家，與賓客辨壁上「馮夷」字，阮公賡堯奇之，遂妻以女。見阮傳。

乾隆三十九年，甲午，（公元一七七四年）先生十二歲。

十二、三歲，好爲小詩，先生之父示以詩品，曰：「作詩必知詩品，讀詩品必知作詩品者之品。」又讀三蘇文，即解爲論序。見先生刻詩品序，及焦廷琥撰先君事略。

乾隆四十一年，丙申，（公元一七七六年）先生十四歲。

先生承家學，幼年即好易。丙申夏自塾中歸，先生父問日課若何？先生舉小畜彖詞，且誦所聞於師之解。父曰：『然所謂密雲不雨自我西郊者，何以復見於小過之六五？童子宜有會心，其思之也。』先生於是反復其故，不可得，推之同人、旅人之號咷，蠱、巽之先甲後甲，先庚後庚，益憤塞鬱滯，悒悒於胸腹中。見易通釋自序由此可知先生幼時，即好作深沈之思，亦其父之善教，有以啓之也。

乾隆四十三年，戊戌先生十六歲。

是年，習爲詩古文辭。見雕菰樓集目錄序

乾隆四十四年，己亥，（公元一七七九年）先生十七歲。

是年，年十七，劉文清公取補學生員，秋應省試。見阮傳及先生所撰朱文正公神道碑後記。

乾隆四十五年，庚子，（公元一七八〇年）先生十八歲。

是年娶婦。見先生先妣謝孺人事略。

乾隆四十六年，辛丑，（公元一七八一年）先生十九歲。

始究毛詩爾雅。見先生毛詩鳥獸草木蟲魚釋自序，及詩益序。

乾隆四十七年，壬寅，（公元一七八二年）先生二十歲。

是年先生肄業安定書院，吉渭巖來主講席，先生往謁，吉勉以經學。先生弱冠，即好孟子書，立志爲正義，以學他經，輟而不爲。是年子廷琥生。見焦廷琥先君事略，及先生孟子正義卷末。時同舍生中有顧超宗者，興化顧文子之子，傳其父之經學，先生亦就文子問難，始用力於經。見阮傳及羅士琳續疇人傳。

乾隆四十八年，癸卯，（公元一七八三年）先生二十一歲。

嫡母謝孺人病噎，旋愈。見先生先妣殷孺人事略。

乾隆四十九年，甲辰，（公元一七八四年）先生二十二歲。

甲辰冬謝金圃督學歲試揚州，重經學，先生得補廩膳生。見焦廷琥先君事略。

乾隆五十年，乙巳年，（公元一七八五年）先生二十三歲。

是年四月先生父卒。九月，摘母謝孺人亦卒。冬合葬於本宅東數十步。見先生先妣殷孺人事略。先生與顧超宗同食餼，是年皆丁大故。超宗時時訪先生於湖中，居半九書塾，抵足夜語，砥礪規正，兩人之交情極篤也。見先生所撰顧小謝傳。是年丁憂，輟舉子業，乃徧求說易之書閱之。見先生易通釋自序。

乾隆五十二年，丁未，（公元一七八七年）先生二十五歲。授徒城中壽氏之鶴立堂，考釋毛詩地理，並改定毛詩鳥獸草木蟲魚釋。見先生兩書自序。是年顧超宗亦在郡城，時時相遇，或同床寢，當月夜煮菱烹茗，談論至三鼓。超宗以梅氏叢書贈，曰：『君善苦思，可卒業於是也。』是年爲用力算學之始。見先生所撰顧小謝傳，及焦廷琥先君事略。

乾隆五十三年，戊申，（公元一七八八年）先生二十六歲。仍館壽氏宅。是年顧超宗歿於郡城王思雷家。醫藥、棺衾、哭泣，王君不以爲忌。王誠長者，然先生實左右之，且多方謀之，未嘗自言也。見先生顧小謝傳，及焦廷琥先君事略。先生經學受顧文子之影響甚深，而算學之研究，又自超宗啓之，故於超宗之死，眷眷不忘，既作招亡友賦，又作詩哭之，不能自已也。

乾隆五十五年，庚戌，（公元一七九〇年）先生二十八歲。是年先生館於深港卞氏宅，嘗撰群經宮室圖五十篇。是冬，嘔血幾死，遂梓之；先生自謂疏漏所不免也。見先生江處士手扎跋。按群經宮室圖二卷，凡九類，曰城、曰宮、曰門、曰屋、曰社稷、曰宗廟、曰明堂、曰壇、曰學；圖所不詳，復爲說附於後，中多創論，與舊說不盡同。當時凌次仲、江艮庭皆移書與之爭辨，凌辨路寢，江辨門臯。然許、鄭異議各成其是；則先生之獨據心得，有足多者。此爲先生早年刊布之書，其後每遇通人，即以之爲質，而先生之名亦因而遠播矣。

乾隆五十六年，辛亥，（公元一七九一年）先生二十九歲。

館於郡城牛氏宅。見焦廷琥先君事略。

乾隆五十七年，壬子，（公元一七九二年）先生三十歲。

館於郡城鄭氏，見焦廷琥先君事略。鄭柿里篤好韓（昌黎）文，而先生嗜柳州，遂以古文相劘切，思振興之。見先生所撰鄭舍人文集序。此數年中，先生皆館郡城，得與郡城中人士相往返，今可考見者：汪容甫、興化二顧（超宗、仲嘉）、汪氏兄弟（晉蕃、掌廷）見先生所撰汪晉蕃傳。團香山、王東山。見先生題安定書院壁詩注。黃春谷、李濱石、見先生所撰兩君詠等，皆當時積學之士。其中惟顧超宗前卒，餘皆時共詩酒，晨夕相見。後先生出遊魯浙，蹤跡稍疏，然歸，則仍聚也。亦見兩君詠。

乾隆五十九年，甲寅，（公元一七九四年）先生三十二歲。

先生究心算學，深明其立法之理，謂九章不能盡加減乘除之用，而加減乘除可以通九章之窮。因於是年之秋，創爲加減乘除釋一書。惟次年即游齊魯，遂致中輟；至嘉慶二年補成。見此書自序。此書言理而不言法，與近世混合數學相近，特近作多深究其理，此特其初步耳。

乾隆六十年，乙卯，（公元一七九五年）先生三十三歲。

阮元督學山東，招先生往遊。見阮傳。正月由東昌至臨清。二月至濟南遊佛峪龍洞。閏月至青州。三月至登州，登蓬萊閣。四月由萊回濟南。五月歸揚州。見焦廷琥先君事略。二月先生在臨清，晤武虛谷。見先生跋武手札。三月有與孫淵如論考據著作書，謂考據之名不能成立，駁正袁簡齋之說。其時淵如正服官於山東也。見先生與孫書。四月同儀徵江安、甘泉阮鴻遊登州蓬萊閣，望海。見先生觀海記。遊齊魯半年得詩五十首。見先生答羅養齋書。五月至揚州。見先生跋武手札。熊桂卿邀同人於塔影園，爲文酒之會。見先生詩。是年秋，阮元督學浙江，復招先生。阮傳謂在次年，其實是此年秋間事。過金陵，晤胡雒君。見先生西魏書論。八月撰釋弧三篇。先生謂梅書撰非一時，繁複無序，戴書務爲簡奧，變易舊名恆不易了，取二書參之，爲此書；錢大昕爲之序。見釋弧自序。在浙得益古演段、測圓海鏡兩書，即寄李尚之，尚之甚喜，爲之疏通證明。見先生衡齋算學序。十二月撰乘方釋例五卷。見李儼中國算學史。按先生加減乘除釋卷三曾謂：「舊撰乘方通釋，以明乘方廉隅之理。」與開方通釋，互爲表裡，蓋即今世所謂二項式定理初步也。

嘉慶元年，丙辰，（公元一七九六年）先生三十四歲。

春渡錢塘，由山陰、四明至甬東，訪萬氏遺書，撰釋輪二篇，上篇言諸輪之異同，下篇言弧角之變化。時先生子廷琥亦隨先生同遊。六月廷琥患濕幾危，先生送之吳中就醫，因請益於錢辛楣。歸家一月 ，先生復遊金衢。十二月歸，有遊浙詩鈔一卷。見先生釋輪自序，及焦廷琥先君事略。

嘉慶二年，丁巳，（公元一七九七年）先生三十五歲。

正月上書於王述庵，乞爲先人撰文。見先生上王書，按蘭泉撰有墓表載其集中。是年，先生村居訓蒙，雖免跋涉，而家事瑣屑累心，又有濕熱、痔瘡諸小疾煩擾，殊悶悶。以兩事自課，一算法，一形家之書。見先生答汪晉蕃書。是歲，有以朱、陸、陽明爲問者，先生作良知論答之。見良知論。先生雖專攻經訓、算數，而宋明理學，亦深造有得；非局促一家者所可比也。是年十二月，取加減乘除釋舊稿增損之，得八卷，爲定本。見其自序。

嘉慶三年，戊午，（公元一七九八年）先生三十六歲。

家居授徒，無賓客之擾。見先生修葺通志堂經解後序。秋九月省試，被落，歸家，刪定釋弧舊稿。見釋弧自序，按釋弧成於乙卯，此其重訂本序也。是年冬先生集錄柳子厚非國語及其他相類諸文爲一編。先生又嘗辨正褒姒之事，謂其好語怪異，以惑民志。見先生書非國語後。知先生識解固甚宏通，雖不若今人之疑古，然對於相傳舊聞，一衡以理，固不貿然信之也。

嘉慶四年，己未，（公元一七九九年）先生三十七歲。

家居授徒。三月刻詩品。見先生刻詩品序。十一月寫定毛詩鳥獸草木蟲魚釋，蓋自辛丑至己未十有九年，稿易六次云。見自序。先生著書之不苟如此！十二月寫定天元一釋，談階平謂：「於正負相消，盈朒和較之理，實能抉其所以然，後能辨別秦氏之立天元一，與李氏迴殊云。」見天元一釋。

嘉慶五年，庚申，（公元一八〇〇年）先生三十八年。

家居教授。冬應浙撫阮元之招，復遊浙。見阮傳。寓居浙署誠本堂之東偏，吳門李銳與先生同屋居。銳爲錢竹汀弟子，精於天算與先生有同嗜。先生前旣得欒城李氏書，茲復從文淙閣借得秦氏數學九章中有開方法，先生與銳共論及此，相約廣爲傳播，俾古學復著於海內。時談階平亦客武林，時與先生過從，遂撰開方通釋。見先生所撰誠本堂記，衡齋算學序，開方通釋自序等文。按先生此書。蓋本諸秦氏而發揮之，謂「前人斂精神於開正負帶從諸乘方，而終未能了，道古此法，則自一乘以至百千乘，一以貫之。」實則所求者亦僅其近似値而已，非眞能爲諸乘方得一通法也。

嘉慶六年，辛酉，（公元一八〇一年）　先生三十九歲。

辛酉元旦，登吳山第一峰，有詩。按詩載集中。春回揚，送子廷琥至泰州院試。是年弟徵、子廷琥皆入學。先生在泰州一月，手錄王曉庵遺書三冊十四卷；見焦廷琥先君事略。先生蓋隨時隨地勤學不怠也。秋應試，中式鄉魁，座師爲英煦齋。見阮傳及阮亨雕菰樓集序。冬復遊浙。見先生蜀歸裝圖跋。

嘉慶七年，壬戌，先生四十歲。

是年春北上會試，場中擬元，而榜發被落，五月歸里。在京師晤有鄭柿里、英煦齋、李冠三、張開虞、王伯申、戴金溪、朱石君諸人。見先生壬戌會試記。五月晦日江文叔邀汪晉蕃、張開虞等集康山草山。有詩載集中。阮元復招先生遊浙，問以古三江之說，阮撰三江攷謂班志與鄭注不同。先生則謂鄭氏三江之注，合於班氏，因撰禹貢鄭注釋，以答之。見其自序。是年在杭，嘗與阮亨冬日放棹西湖，冒雪敲冰聯句，於林處士梅花墓下，感慨嘯歌，莫掩其胸懷高逸之風也。見阮亨雕菰樓集序。冬還揚州。見阮傳。

嘉慶八年，癸亥，先生四十一歲。

先生以母疾，不果出遊，授徒於家。見先生湖莊圖跋。先是丁未讀王伯厚毛詩地理攷，欲更攷之；至是十七年未及成書，三月取舊稿刪訂之，爲一冊，共四卷云。見此書自序。秋八月，汪慶人訪先生於北湖，時母疾良已，因命先生設榻留賓，日乘小舟泛於湖東，主客甚樂也。見先生湖莊圖跋。十一月有與黃春谷論詩書。見本文。

嘉慶九年，甲子，（公元一八〇四年）先生四十二歲。

是歲授徒家塾，專心於易，以數之比例，求易之比例，向來所疑，漸能理解。初有所得，即就正於高郵王伯申，伯申以爲精銳，鑿破混沌；先生更奮勉，遂成通釋一書。（見自序。）此先生易通釋之初稿也。先生著書不自滿假，每有所得，隨時改定；故通釋稿成於此年，更定本則尚在十年後，此亦可見先生著書之態度矣。先生嘗以戴東原所撰孟子字義疏證爲精善。理道天命性情之名，已揭明如天日。而惜其於孔子一貫仁恕之說，未及暢發；十餘年來，每以孔子之言參孔子之言，復以孟子之言參之，旁及經子，而成通釋十二篇，曰聖、曰大、曰仁、曰一貫忠恕、曰學、曰知、曰能、曰權、曰義、曰禮、曰仕、曰君子小人。以示汪孝嬰，孝嬰苦其簡而未備云。（見先生論語通釋，及論語補疏兩序。）按此乃先生義理之學也，雖未知孔子之意果如其說否？又較之宋儒，亦未知其果孰爲高下？然固不失爲一家之言。而前人多稱先生易理算術及訓詁考證之精，罕有道及此書者，蓋亦當時風氣囿之。居今日而欲考究先生之思想，則此書亦其思想之所寄，不可忽也。

嘉慶十年，乙丑，（公元一八〇五年），先生四十三歲。

歲乙丑有勸先生應禮部試，且資之者，先生以書辭之曰：「先母殷病雖愈，而神未健，此不能北行之苦心，非樂安佚輕仕進也。」見阮傳，按勸而資之者爲鄭燿庭，事在是年正月，見先生答鄭書。蓋先生母既善病，而先生孺慕之心，老而彌切，且先生亦自體弱多病，是以瞻顧家廬，不復遠出，此乃先生不得已之苦心，非肥遯忘世之流。論者每稱其高隱，猶皮相耳。去年冬先生於書肆破書中得一帙，雜錄前人論曲論劇之語，惜無次序。今年春養病家居，因編次之，參以舊聞，凡論宮調音律者不錄，名之以劇說云。見先生劇說小序，按此序不載雕菰集，諸家亦罕稱引，僅廷琥所撰事略述之，今有排本凡六卷，蓋點定前人舊作而成書。而廷琥謂博覽詞曲作此六卷，與自序語不合，未知何故也。先生嘗欲萃鄉先生之文，爲揚州文集，偏求之多不可得。夏四月得陳霆發何有軒文集，甚喜也。見先生所撰何有軒文集序。甲子大水，此年水倍於前，先生家悉委於浪。先生之母鬱鬱發疾，臥病百四十日。六月孫殤。閏月廷琥等大病幾殆。中秋母病猶未愈。見先生湖莊圖跋。此時先生之家境艱困可知矣。十月而母竟卒。見先生答李尚之書二。上書程易疇，請爲先人作墓志。見先生上程書。按易田所撰墓銘載集中。

嘉慶十一年，丙寅（公元一八〇六年），先生四十四歲。

連年大水，先生田園悉沒，不得已授徒於城以糊口，景況殊惡。入秋兼患腹疾，愁鬱終日，廢書默坐而已。見先生答李尚之書二，上河水災記上及天庸庵筆記序等文。是年伊墨卿守揚州，阮元亦居憂在籍，相約纂輯揚州圖經、揚州文粹兩書，先生分任其事。明年伊以憂去，阮亦起服入朝，事遂寢。見先生揚州足徵錄序。是年阮元爲先生北湖小志作序，稱其有史才。按小志六卷，凡敘六、記十、傳二十一、書事八、家述二，別有圖十，爲卷首。

嘉慶十二年，丁卯，（公元一八〇七年）先生四十五歲。

先生既撰易通釋，事在甲子年。是年以質歙縣汪孝嬰，南城王實齋，均蒙許可，然先生自謂以全易衡之，猶未敢信。春三月遘寒疾，垂絕者七日，昏瞀無知，惟雜卦傳一篇，往來胸中，既甦，遂一意於易。見先生易通釋自序。是年有上郡守伊公書、論圖經義例，文繁不錄。

嘉慶十三年，戊辰，（公元一八〇八年）先生四十六歲。

是年除喪後，小有足疾，遂託疾居黃玨橋村舍，閉戶著書。見阮傳。按是年先生曾以訟事與人對簿，見易通釋序。惟以何事涉訟，不可考耳！

嘉慶十四年，己巳，（公元一八〇九年），先生四十七歲。

己巳佐歸安姚秋農、通州白小山修府志，即踵圖經之役也。注易事遂稍輟。見先生易通釋自序，及揚州足徵錄序。六月覆姚秋農一書，論修志義例，文繁不錄。因修志之餘，收拾雜文舊事，次第爲目錄一卷，名曰揚州足徵錄。又以隨筆攷錄揚事者，成邗記六卷。見阮傳。復修志得脩脯金五百，以少半爲生壙，其大半用以葺其老屋，曰「半九書塾」。復構一樓，曰「雕菰樓」。有湖光山色之勝，而讀書著書恆在樓，足不入城市者十餘年云。見先生半九書塾記及阮傳。

嘉慶十五年，庚午，（公元一八一〇年）先生四十八歲。

改訂易通釋。見自序。輯北湖三家詞鈔。見焦廷琥白茆草堂記。

嘉慶十六年，辛未，（公元一八一一年）先生四十九歲。

辛未春正月誓於先聖先師，盡屏他務，專理易經，日坐一室，終夜不寐，又易稿者兩度。見先生易通釋自序，及告先聖先師文。

嘉慶十七年，壬申，（公元一八一二年）先生五十歲。

壬申先生撰易學三書漸有成。三書者，易通釋、易圖略、易章句也。夏月納涼，因與友人縱談王弼易，門人錄之，秋後次爲二卷，即周易補疏也。見先生周易補疏序。

嘉慶十八年，癸酉，（公元一八一三年）先生五十一歲。

二月自立一簿，以稽攷其業，曰「注易日記」。歷夏迄冬，而通釋成，訂爲二十卷。皆舉經傳中互相發明者，會而通之也。見易通釋自序。後提其要爲圖略，凡圖五篇，原八篇，發明旁通、相錯、時行之義。論十篇，破舊說之非，共二十三篇，爲八卷，次通釋後。見易圖略自序，按易學三書中惟易章句無序記，餘二書序皆作於此年。其後歷年仍有毀損，至嘉慶二十一年乃有定本也。易圖略中有旁通三十證，阮元謂其尤爲顯據，讀之有聞道之喜。見阮元雕菰樓易學序。蓋先生之創見也，文繁不錄。

嘉慶十九年，甲戌，（公元一八一四年）先生五十二歲。

先生前嘗撰毛詩地理釋、草木鳥獸蟲魚釋、毛鄭異同釋三書，二十餘卷；是年删併爲一書，即毛詩補疏也。見先生毛詩補疏序。易學三書既粗就，不樂閒曠，因取歷年讀書手錄雜文，編次爲道聽錄五十卷。見先生里堂道聽錄序。雖雜錄舊聞非爲心得，而讀書勤劬，無毫髮苟且可見矣。

嘉慶二十一年，丙子，（公元一八一六年）先生五十四歲。

黃玨橋有明忠臣梁于涘故宅，先生買修之，扁曰「北湖耆舊祠」，設木主三十位，祀嘗居北湖而忠孝行誼載於史志，足爲鄉人表率者，揭其事實於壁，使里人觀感焉。見阮傳及先生立祠狀文。按立狀日爲本年正月，則其事當在上年，今依立狀日繫於此。四月成論語補疏。見自序。先生以論語、孟子皆所以闡易理，蓋易包天道人事，範圍至廣；論、孟所述，自可爲其涵蓋。況先生易學專門，遂不覺用其所長耳！是年易學三書四十卷成，上書英煦齋，乞其作序。見先生上英尚書書，按英序作於次年，今刊三書之首。於是年冬與子廷琥纂孟子長編。見先生孟子正義卷尾注。

嘉慶二十二年，丁丑，（公元一八一七年）先生五十五歲。

正月自訂雕菰樓集二十四卷，文三百二十六篇，詩四百二十首。見本集總目跋。自上年先生左臂即病拘攣，牽掣右臂，不能執筆，心甚怏怏也。見本集目錄跋，按詩文集雖訂於此年，然今集中有戊寅己卯等年詩文數首，是訂定後尚隨時有增益也。先生嘗舉國朝人三十二家，作讀書三十二贊；又著貞女論、愚孝論，皆有補於世教。見阮傳，按此諸文不知何年作，姑繫於編集之年。是年又有與朱椒堂兵部書及周易用假借論，皆以書數發明易理，足以見先生著書之宗旨也。是年續纂孟子長編，並撰成春秋左傳補疏，按此書以闢杜氏邪說爲主，不徒詳核乎訓故名物而已。見春秋左傳補疏。

嘉慶二十三年，戊寅，（公元一八一八年）先生五十六歲。

是年先生删定群經補疏成。先生學術以易爲專門，所著三書皆其獨創，至於發於弼義者，則爲周易補疏。其他關於毛詩者，有地理釋、草木疏、毛鄭異同釋等，删合爲毛詩補疏。關於書經者，有書義叢鈔四十卷。別攄心得者，則爲尚書補疏。關於禮記者，舊有索隱一書，其稿遺失後復條舉訓故爲三卷，即禮記補疏也。左傳、論語亦皆有補疏，已見上年。如群經補疏序多撰於此年，故繫於此。當清乾嘉時，漢學正盛，其所持論，一以漢儒爲依皈。先生當其時不爲所囿，故疏易則表章王弼，疏論語則發揮義理，疏尚書則稱僞孔有七善，疏毛詩則辨別傳箋之異同，疏左傳則擊駁杜氏之奸佞，皆戛戛獨著，言有宗主，矯時不惑，先生有焉。先生注易之餘，又撰有易話二卷、易廣記三卷。易話載友朋門弟子說易之語，易廣記採錄前人易注之善者。雖非鉅著，亦益人神智。見易話、易廣記，兩書序皆此年作，故繫於此。前年既輯孟子長編，至此歷二年，長編既成，將纂成正義，恐志有懈弛，立簿逐日稽省，如前此之注易。是年十二月初七日，開筆撰孟子正義。見先生纂孟子正義日課記，按此日記，焦廷琥先君事略及孟子正義卷末注中述及之，前人多未見，近吳君承仕從故紙中錄出。先生最後兩年中事，詩文中多不載，賴此以傳，余嘗撰文以跋之，茲不詳。

嘉慶二十四年，己卯，（公元一八一九年）先生五十七歲。

纂孟子正義，兼訂諸舊稿，足疾時作。見先生纂孟日記。

嘉慶二十五年，庚辰，（公元一八二〇年）先生五十八歲。

纂孟子正義，並刪定諸舊稿，足疾時作。夏足疾甚，且病瘧。七月二十七日卒。見阮傳及先生纂孟日記。按日記終於是年七月初八日，距卒僅十九日，蓋絕筆於此，未可知也。先生病狀，詳焦廷琥先君事略，茲不復錄。孟子正義垂成，而先生歿，僅存初稿，至道光乙酉，其弟徵校而梓之，並爲敘略。見孟子正義焦徵跋。先生自癸亥家居，至庚寅十八年中著書將三百卷，成不朽之業，而心血實耗於此矣。見焦廷琥先君事略，按先生平生善病，二十八歲時嘔血幾死，四十五歲時，寒疾垂絕者七日，其他濕熱小疾不時間作。而足疾尤爲終身之累。初則每年一發，繼則每月一發，最後兩年幾無日不發，拘攣牽掣，不克履地，終以是死。是先生之隱遯，固廢於病，非其志也。先生自謂有志於臨民，思以州郡自效，固非遺世佚民之流也。而世人徒稱其高尚，豈先生心哉！先生子廷琥，字虎玉，能讀書，傳父學。阮元稱其端士，著有蜜梅花館詩文錄二卷。卓然大雅，不愧名父之才子。先生卒後一年，亦哀毀而亡，惜哉！先生著書數十種，數百餘卷，今列其目於附錄一。余嘗爲文攷其板本，文繁不錄。

三十年秋八月二十二日抄成，時將赴滬，促促少暇，因命震兒代寫，潦草譌脫，殆所不免。姑置篋衍，備遺佚耳！如欲付印，尚須細校也。耕研記。

附錄四　讀里堂先生纂孟日記

余撰輯里堂先生年表，得紙五十八葉；先生行跡大略已可窺見，其所取材大都不出雕菰樓集中。先生詩文多有年月可稽，往往低徊舊事，纖悉標舉；當時學養之精進、身心之困泰、友朋之離合與夫米鹽瑣屑去來大小之情，皆可於詩文中一一遇之，恍如與百年前人酬酢於一堂也。故撰輯年表有所措手，不出十日而大綱畢具，非若史傳缺佚，動煩考索，猶不能知其首尾者可比也。更進而求之先生他著，以益其所不備；又考諸他人著述，若阮芸臺、汪孝嬰、李尚之等，雖所得不多，亦不無可補。聞諸須公（註一）里堂先生尚有纂孟日記，忘其載在某雜誌中，侃如（註二）言在華國；檢而得之，荷承見假，大喜過望。先生有注易日記三卷，見先生所撰易通釋自序，阮氏焦君傳亦引之。然此書未見有刻本，不知尚在人間否！此纂孟日記，先生諸文中未嘗道及，而今竟得刊佈，其中所保存之珍聞遺事不少，倘注易日記亦能如此書之重顯於世，其所獲又將如何？書之不傳，殆亦不甚可知耶！

此日記末有吳承仕君之跋。吳君歙人，太炎弟子，仕於北京，爲都曹；研經咀史，撰著頗多，尚書尤爲專門。自謂讀雕菰樓集，擬爲里堂先生作年譜；此意竟與余合，未知此譜撰成否？以吳君之博雅，其譜當有可觀，則余之年表，覆瓿可也。時黃岡王君鴻甫以所藏先生手寫道聽錄殘稿一册示吳君，都五十餘卷，涂乙凌雜，倫脊不具。按道聽錄乃先生刺取諸書隨手箚記之編，雖有五十卷之多，殆非精騎上駟，今亦不聞有刻之者。吳君謂其凌雜，殆非誣矣。吳君細審紙背尚有字跡，反覆諦察，則先生晚年撰孟子正義之日課也。正義卷末有云：「循弱冠即好孟子書，立志爲正義，以學他經，輟而不爲。茲閱三十許年，於丙子冬，與子廷琥纂爲孟子長編三十卷，越兩歲乃完；戊寅十二月初七日立定課程次第，爲正義三十卷，至己卯秋七月草稿粗畢。」尋雕菰樓集有里堂道聽錄自序一首，書凡五十卷，寫定於嘉慶甲戌之秋。越五年戊寅冬十二月，正義始屬稿；道聽錄稿本既廢不用，故就紙背以寫日記。道聽錄所述大抵鄉里異聞，不關經術，而疏孟日課則先輩著書治學之勤，足以考見，誠希氏之瑋寶也。

原書紙墨爛脫，字跡漫漶，已難辨識；而裝池者又妄有裁省，顚倒錯互，不相比次，吳君以竟日之力，句稽排比，稍復舊觀，雖中有殘缺，而首尾略具矣。此吳氏所述獲此日記之因緣也。蠹蝕裁亂之餘，得遇識者，吾人得以參考而玩索之，是亦不幸中之大幸矣！

日記之前有先生自題小序云：「雕菰樓易學三書既脫稿，遂與廷琥編寫本朝三十餘家之書，爲孟子長編，因將纂成正義，恐志有懈馳，立簿逐日稽省，如前此注易云。里堂記。」按易學三書成於戊寅之春，而此日記則始於戊寅之冬，其間相去不滿一年；且編寫長編凡歷兩年，則三書未定，而注孟之事業即已肇始，先生之於學，可謂勤矣！

所輯清儒三十餘家，其人其書，具載孟子正義卷三十之末。自顧炎武以至張宗泰凡六十餘家，此云三十者，初稿未定，後有增益也。長編乃先生與其子廷琥共編寫，廷琥有所見亦錄存之，先生自謂用吾家武子注穀梁之故事也。先生嘗自謂著書有三體：獨攄心得，不參前人成說，如所著易學三書及六經補疏是也；又全錄人言，不參己見，如所輯書義叢鈔是也；至所撰孟子正義，則採擇群言，而以己意裁成損益，歸於至當，與前兩種又復不同。蓋相體立例，各有所宜，亦各有所難也。此書所參考雖多至六十餘種，然心有主宰，固非徒矜其多也。大概以戴東原字義疏證爲主，冀以發明一家之義理，固不僅僅限於考證訓詁而已。即宋學家爲李厚庵輩之說，亦時有採取。可知先生學術範圍之廣，非株守方隅者所可比也。

日記始於嘉慶二十三年戊寅十二月初七日，終於二十五年七月初八日，凡歷一年又七月。中間二十三年十二月二十二日至二十四年五月十日，凡闕五月又二十日；又自六月二十七日至七月初三日，凡闕七日；又七月初六日闕；又二十五年三月初四日至初八日，凡闕五日；又五月初六日至初七日，凡闕兩日；總計所闕約百九十日。蓋經俗人裁剪顚倒之餘，遂不幸至於殘損，非先生原本有闕，然尚能首尾完具，得以窺見當時著書之心境行跡，不能不歸功於吳君之整比矣！

按日記云：「嘉慶二十三年戊寅十二月初七日開筆撰孟子正義。」又「二十四年七月十七日，草稿既成，乃討論於群書。」直至二十五年二月初一日乃再寫錄孟子正義，始爲定稿。距丙子撰長編時已隔五年，稿凡三易，著書精審不苟如是，此誠先輩規範，而非今人所能及者也。惟正義定稿經先生手訂者僅十二卷，餘卷則由先生之弟徵、子廷琥就初稿校寫成之。先生病劇時，謂『初稿最難，無甚更改。』則雖非先生手訂，亦可無憾也已。先生所討論之群書，有潛夫論荀子等四十六種（其在闕頁中不可得計）皆習見書，並無秘籍孤本，而大義微言，即在其中；此可知學術自存天壤間，與人以共見共聞，而常人每忽視之，特好學深思之士能得之耳。然亦初稿既就，心力有所專注，材料之散在群籍者，自能奔赴腕下，否則學乏專門，而泛濫群書，亦將目眩口呿，盲然無以下手也。

先生尚撰有半九書塾記，記塾中花木之盛，知先生甚有花癖也。此日記中載花事甚夥，約舉如下，依次刺取，不復注日：「薙柳」、「伐梅」、「蜜梅大開，香氣溢於垣外」、「金雀有花」、「半年來足疾未窺園，今日坐紅薇翠竹亭，望沿海一帶，秧已長涄，亭畔白菊剪春羅玉簪紅繡球相間作花，金櫻結實垂於樹」、「洋繡球開三花，其二已萎，其一尚鮮茂」、「莞花有葉，雁來紅變」、「銀薇大開，甚佳，坐紅薇翠竹亭對之，與竹相映，殊饒逸致」、「日落時坐樓外桐下，剪去雜草繁枝，用心自暢」、「凌宵花第二發開，此物喜旱，久不雨，故花轉盛耳」、「木槿紅薇等葉爲蟲食，無花。秋海棠剪秋羅已撲花，而每日困於日光，多枯萎，今遇陰雲，小有起色」、「不雨半月，草木皆枯，惟石畔野菊枝葉如故，乃知此物不惟傲霜，兼能耐旱，非他種所可冒也」、「桂花爲雨所漬」、「課童禿柳修榆柘」、「今日早起，坐東廊，向初日負暄，體頗融適。霜亞金燈葉爲縞帶，群卉俱枯，惟木犀山茶海桐，青青如松柏」、「蒲蘭有芽，孤燈暢發。孤燈俗呼枯亭」、「坐花深少態簃課童子剪去牡丹之殘蕚。蒲蘭及蝴蝶花數種俱開。山茶尚有花，歷發數十枝，深紅開於新葉」。稍稍錄寫，而一年之花事備矣。先生於花，殆無一時孤負之也。

廷琥所撰先府君事略謂先生「患足疾二十餘年，間歲一發，年四十外，則歲一發，五十則一歲數發，近三、四年則連月必發矣，每發痛徹骨。」今按日記所載，有足爲斯言之證者；「足疾又發」、「足尚未好」等語，時時見之。甚者則有「右足筋縮，不能著地」、「動必須杖」、「足疾坐室內不能起者，前後共二十二日，痛楚無聊」等語，前後亦略見。然有足疾甚而日記不詳者，如廷琥所撰事略謂「嘉慶二十五年六、七月，足疾疊發，忽然煩熱似瘧，醫藥罔效」云云。而日記中則僅載看書抄書之事，不言足疾，殆有所諱惡而省之耶？由此可知先生雖在病中，不廢著作，其勤劬爲何如哉！且先生之家居不出，蓋亦由於足疾所累，初非枯寂隱遁之流忘情世事者也。

按廷琥所撰事略載先生著作凡三百餘卷，而以孟子正義爲其絕筆。其他著作雖久已脫稿，而時時增改無一息懈。蓋人之撰著一書，必有其專精之宗旨，苟日久而思想變遷，悔其少作，則毀棄隨之矣。倘宗旨既定，大體已無待更易，而瑣細節目，未必即臻美備；群書所載關於此種著作者，搜羅未必周遍，此則有待於隨時之留意矣。惜人性好逸而多苟簡之心，著述脫手，即不復顧，疵瑕百出，爲人口實所難免也。先生則不然，觀此日記，知其時雖以注孟日記爲日課，而閱讀之暇，有關舊稿者輒加採取。如二十四年七月十五日改易通釋卷十九「恆」字條、八月初八日暇則編錄易餘籥錄、十二月二十六日至二十五年正月初九日連日增補書義叢鈔、又於正月初一日草道德理義釋一篇以入易話中。此所記之易通釋、易餘籥錄、書義叢鈔及易話均已前久殺青者。可知先生對於著述鄭重不苟之態度，雖老病侵尋，纂注孟子之暇，仍不肯有一息之懈，卓然爲一代通儒，有以也！

先生之學範圍甚廣，固不僅限經學、算學而已，下至醫卜形數之說，莫不留意。其見於諸家記述及先生詩文中，猶有可以考見者，茲不復詳。至戲劇一道亦頗究心，撰有劇說六卷，記載先生事跡者多未齒及。乃先生對於鄉村亂談，亦復爲之命筆點竄，著成花部農談一卷，其因緣載此日記中，蓋先生晚年游戲之作也。其記曰「二十三年六月十九日足疾坐內室，不能起者前後共十二日。

痛楚無聊，扶坐牛皮床，日草花部農談數行，雖諧謔短書，然有悟處，因删而錄之爲一卷。」病足之時，尚不自逸，先生之治學，亦何廣且勤也。此二書今已由南陵徐氏爲之付印行世。徐氏嘗居揚州，購得先生手稿數簏，檢出數種爲之刊佈，皆零星小部，至如書義叢鈔、里堂道聽錄等不知歸於何所？至今尚未聞有爲之印行者。

先生於著書之暇，尚時作雜文小詩，今見於日記中者有：「二十四年九月十三日，水溢階下得一絕句」、「十月十二日，爲李冠三作李氏兩大夫阡表」、「十二月二十五日，薄暮坐紅薇翠竹亭望湖，因得一絕」、「二十五年正月初八日，除夕枕上作」、「五月二十日，題吳少文鬥魚圖」等。其第一、第五兩首不載集中，尤爲可貴，茲錄於此，未知輯錄遺文者收此否也？「水溢階下」云：「黃河秋漲水連天，排闥新添幾尺泉；獨坐小樓讀周易，燈光和月到燈前。」（汪東謂下「燈」字有誤。按汪說未必然，正恐上「燈」字有誤耳。）「鬥魚圖」云：「深竹庖廚近市闤，白茅湖水一亭灣；主人風（按風下原缺一字）

謙謙甚，偏借鳴鱗作觸蠻。不慣簪裾作素餐，太平佳事託魚竿；笑他憔悴神仙客，案意崧山數本蘭。」餘三首則集中已載之。然雕菰集目錄後有先生日記，謂編集在二十二年，此三首皆二十四年作，亦載集中，知編定後又隨時增補矣。因思史公撰史記，自謂絕筆麟止，而史記中頗有以後事，論者多委爲後人竄亂。觀於雕菰集，可以爽然矣。

吳君承仕既從殘缺之餘，手錄成册，刊佈於華國月刊，俾前輩風流，得勿墜失，其功亦偉矣。並加考案，以證成其事，說頗精審，可資覽者參考，然所據以爲說者似僅限於本集。故其說多未能自堅，不無遺憾，茲就可知者，稍糾正之；㈠日記二十四年六月初六日，英尚書師寄趙孟頫易大字說卦一幅；又集蘇句聯一付，「手植數松今偃蓋，夢呑三舊通靈」云云，「寄」下、「頫」下、「三」下各闕一字。按廷琥先府君事略，知寄下是「臨」字、頫下是「書」字、三下是「畫」字，吳君僅注明英和事，而未能得三字補出，知其未見事略也。㈡二十五年正月二十七日有畫工汪生昨日來，今往看之云云。吳君據蜜梅花館文錄謂汪生當即丹陽汪匯川，按事略明言汪匯川，固不必轉引文錄以證成之也。㈢六月三十日閱姚秋農先生求是齋自訂稿云云。吳君注謂雕菰樓集卷十三有覆姚論府志條例書，按先生佐姚修府志事在嘉慶十四年，覆姚書當在其時，去此已十年。吳引以爲注，未知何指？先生此時正纂孟子正義，其閱姚書，蓋得有所取資，與府志何關？且姚治宋儒之學，先生引之，因此爲人所刺譏，吳於此竟未道及，何也？

（註一）張煦侯先生，亦淮陰籍，其時同執教於省立揚州中學。

（註二）王侃如先生，揚州人氏，亦爲省立揚州中學國文老師。

民國二十六年五月三十一日范耕研寫於揚州之樊榭

後　記

先父耕研公生前讀書不綴，著作頗豐，惜多散佚。曾自滬攜來之遺著中有江都焦理堂先生年表，係執教於江蘇省立揚州中學時所寫。甫成之時，日寇侵華，全國動亂，竟能隨同避難東搬西遷，且於淪陷區内重新整理抄錄。復經文化革命未爲紅衛兵破壞，今幸攜來台灣，遂得付梓。乃爲先父保存其著又一種，是爲藷硯齋叢書之七。

昔時爲文，多不標點，此輯作於戰前，自無標點。有感於前三輯之呂氏春秋補注、南獻遺徵箋及莊子詁義之無標點，讀之不易，特商請湯承業博士慨允抽暇加注標點，便於閱讀，衷心感謝。

於圖書館查閱資料，見有楊家駱編之雕菰集，先父所參考之文多錄其中。遂急探詢購得，逐字核對。遇有疑義，由楊安芝教授指點解答，算學部分又請王詩頌教授解釋，均獲益匪淺，謹拜謝焉！

余屆坐六望七之齡，雖體尚健，總已進入老年，拙荊黃菊每以不可過分勞累爲念，時時勸阻久坐。惟讀此年表，見焦公之弟焦徵先生所作先兄事略跋謂「亡姪處苫塊中，哀泣之餘，且校且謄，惟恐不及。……然病中校閱父書，未肯少怠。……」讀之能不悚然以警！似此，自不能稍懈，更何況並未日以繼夜，且有延緩之徵。而叢書之五後忽已近年，尚一無所成，特以此自勉不可太過散漫，當儘速完成以慰先人。

焦公逝於清嘉慶二十五年（公元一八二〇年），先父棄養於公元一九六〇年，相距一百四十年。竟同爲七月二十七日，雖焦公之時爲農曆，實際與陽曆自非同一天，然其數字之巧合，理當特爲之記也。

本輯之成，除中央研究院中山人文社會科學研究所湯承業研究員、中央大學中文系楊安芝教授及台灣師範大學數學系王詩頌教授之鼎力賜助，特予深謝外，並經老友任明藻、盧百生及曹精一兄之鞭策始竟其功，亦應拜謝。惠賜總序之政治大學高明教授暨隨時棒喝催逼之司琦教授，其隆情厚誼，感謝感謝！

民國八十年十二月江蘇淮陰范　震恭記

國立中央圖書館出版品預行編目資料

江都焦里堂先生年表／范耕研著. --初版. --
臺北市：文史哲，民81
面；　公分。
ISBN 957-547-122-7（平裝）

1.(清)焦里堂(1763-1820)-年表

782.975　　81001626

江都焦里堂先生年表

著者：范耕研
出版者：文史哲出版社
登記證字號：行政院新聞局局版臺業字五三三七號
發行人：彭正雄
發行所：文史哲出版社
臺北市羅斯福路一段七十二巷四號
郵撥○五一二八八一二彭正雄帳戶
電話：三五一一○二八
印刷者：長達印刷有限公司
臺北市西園路二段五○巷四弄二一號
電話：三○四○四八八

中華民國八十一年四月初版

260.

ISBN 957-547-122-7

莊子章旨一卷

莊子音一卷

蘦硯州鑠箸兩種

耕研自署

卅三年初夏時寓安空

著 者 遺 影

生於1894年農曆10月 8 日江蘇之淮陰
逝於1960年 7 月27日上海市
享壽六十七歲

著者德配萬太夫人遺像

生於1899年農曆２月21日

逝於1946年農曆２月６日淮陰水渡口老宅

享年四十八歲

高序

柳師劬堂嘗盛稱淮陰三范，以績學聞於南雍、伯尉曾，字耕研，號冠東，治周、秦諸子；仲紹曾，攻物理、化學；叔希曾，字耒研，初爲歸、方古文，繼爲目錄、版本之學，皆有聲於時。先兄孟起與三范同時就讀於南京高等師範，與耕研之私交尤篤，常爲余言之。民國十四年，余入南雍，每訪龍蟠里國學圖書館，猶及見耒研，繼讀其書目答問補正，更深儀其人。顧余卒業於南雍時，耒研業棄世。遭時喪亂，先兄故於行都之歌樂山，與范氏之音訊遂絕。一月前，鹽城司教授琦兄來訪，述及其鄉賢范君耕研之長公子名震者在臺，今春曾返鄉探親，攜出其父叔遺稿之倖存者如墨辨疏證、呂氏春秋補注、莊子詁義（未刊稿）、書目答問補正、南獻遺徵箋，及其父之詩詞殘存於日記中者，將輯集之，並刊爲范氏遺書，而屬其問序於余。余知耕研所著尚有文字略十卷、淮陰藝文考略八卷、韓非子札記二卷、張右史詩評二卷、宋史陸秀夫傳注一卷，均於所謂「文化大革命」時燬於紅衛兵之手；其子恐其父叔之心血所注，若再亡佚，將何以對先人於泉下，乃有遺書之印。其孝思之誠篤，在今日不可多見，實足以風世而正俗矣，因樂而爲之序。

中華民國七十八年三月高郵高明謹撰於木柵之雙桂園

編輯例言

一、此稿成於民國三十三年（一九四四）夏，係先父爲寶應之郁念純及芮和師二位先生講授莊子後之心得。含莊子章旨及莊子音各一卷，是爲藹硯齋叢書之六。

二、原稿係章旨全卷在前，音列其後。經王玉麟先生校訂時改爲每章分列，便於閱讀。且以玉麟先生抄錄之謄清本製版刊印。

三、原稿成後，先父復發現新義，多加注於上下眉處，整理時每有不知插於何地爲宜之嘆，玉麟先生乃將眉注全列於每章之末，如此更爲清晰。

四、前輯莊子詁義刊印太過匆忙，初未詳讀，僅內篇尚未完全，誤以爲已經定稿，竟與前三輯同時送印，並已排版，勢成騎虎，後雖又見此稿，只略補足內篇而已。今則內、外、雜篇均有述作，非如詁義之逐句注釋，乃研究其精義及說明觀點者。另列出非常見之字，予以注音及解釋略義。

五、原稿無自序，闕如矣。僅仍用高明教授之總序。

六、封面題字爲先父之原稿。

七、由於多處眉注，原稿較爲紊亂，故此輯不刊先父遺墨。僅印先父、母遺影以爲紀念。

民國八十年十二月江蘇淮陰范震恭識

藷硯齋襍著兩種目次

——莊子章旨　莊子音

莊子內篇章旨

淮陰隨伯子初稿

逍遙遊第一

逍遙遊者，遊行自在，無所掛碍之謂也。中庸謂無入而不自得，意思與此近。人生世間數十寒暑，憂樂疾苦之所攖，生死理亂之所閱，無一不足以擾其心而促其生，而人道苦矣。雖然，豈真有苦樂哉？滯於迹象不能解脫，而苦樂乃緣以生耳。推其滯執之根在於有我，莊子勘明此點，故曰：至人無己，己且無焉，何有苦樂乎。是以名不足尸，功不足矜，任天而行，得大自在，此逍遙遊之大旨也。能知此意，則大者如鵬，盡其為大；小者如鴳，盡其為小，各盡其性，無有喪失，小大何有哉？人亦萬物中之一耳，大不至鵬，小不至鴳，乃不能全生盡性，翻然自以為萬物之靈，而苦樂乃由是生矣。已更萬民之一耳，知、行、德、能，各有等差，不知求盡其性分之全，嘵嘵然逐於外物之毀譽，勸沮其志，上天生人之理，不亦遠哉！雖然各安其性，各有其適，斯固足以應世矣，而非至人之逍遙極致也，蓋物我雖忘，而大小之別自在，故莊子歷舉大年小年，大知小知，而總之曰此小大之辯也，豈欲泯絕小大之境哉！且更明言小知不及大知，蓋深閔乎下士之笑道而終以瓠樗之大自比也。佛家以般若為波羅蜜之一，而慧與戒定並重，豈肯安於小知以愚芚自處耶！向來注莊者多誤會莊意，雖郭象不免，故於此發之。宋榮子能外物矣，未能忘我也，豈其未能忘我，其師心自是，我見正深，何能任天逍遙耶！御風而行者，不自作主，隨風東西而已，無所容其心，此殆無我矣，然近於頑空，則是無生命之可言。槁木死灰，亦何貴乎！故曰猶有所待，無生之物，必待他力始有所表現，亦非真能逍遙者也，真能逍遙者，其至人乎！稟天地陰陽之氣以生，應寒暑治亂之變以長，勿忘勿助，自在逍遙，以盡其性分之所應得，有非他物所能影響者，此其所以可貴也。堯讓許由一段，證聖人無名。堯不為尸，由不為賓，賓俞謂應作實，未知所本。無治者，亦無治於人者，易所謂羣龍無首，天下治也。肩吾問連叔一段，證神人無功，天下之治，年穀之熟，皆自然耳，誰能尸其名，居其功乎。瓠樗兩段，證至人無己，人以瓠樗為無用，由瓠樗言之，豈求用於人哉，人能盡其性而無求用於人，冥所任運而天下治，逍遙之極，孰過於此。瓠樗皆舉大物為喻，可知莊子本旨決不自安於小知，而舊注以謂小大無勝負，則鹿豕之生，亦何足稱逍遙耶。

眉注：

或疑得大智慧似失無己之義，且將陷於養生主所謂有涯逐無涯之患。夫養生主所謂殆者，以其逐於外物以求知，非其性分之所有也。莊子本指豈屏絕知識哉，說詳彼篇無己之義，在破世俗之我執，惟我既稟賦為人，則當窮其稟賦之所能及而止於其知之所不及，知如此乃可謂之盡性，豈可安於愚陋若木石之無知邪。惠瓠為樗，言大非無用，樹樗廣漠，言無用之用，蓋有用無用皆人心目中事，瓠樗本身豈屑於人之用不用哉，而惠子乃屬言斥之，嗚呼，此太公之所以殺華士，而秦后之所以欲誅陳仲也，此道法兩家之所以異。

音〻

鯤 徐音昆。崔譔云：鯤當作鯨。說文作䲔，或体作鯨，渠京切，鯨鯤古音通。 凡所引音皆本釋文，偶有異同，則加按字以為別，發例於此，後不具注。

怒 按說文恚也，乃故切。段謂古無努字，祇用怒。今音義各別，努音奴五切，與怒有上去之异。 摶 崔云徒端反。按借為轉，音知恋切。 坳 衣交切。借為凹，音同。說文皆無。

培 音裴。徐扶杯反。又父宰反。一音扶北反。按借為馮，實借為凭。皮冰切。 閼 徐於葛反。一音謁。 蜩 音條。

學鳩 司馬云如字。一音於角反，或作鷽，音預。崔云學讀如滑。 槍 七良反。 控 苦貢反。 滄 七丹反。 朝

菌 徐其隕反。 惠蛄 音姑。 尺鷃 於諫反。 而徵 郭廣潘云：而讀為能。 數數 音朔，

下同。徐所祿反。 泠然 音零。 惡乎待哉 音烏。 無已 音已。 爝火 本亦作燋，音

爵。郭璞云祖繳反。字林云，燋子召反。燋子約反。 夫子立 按立讀為位。 藐姑射 藐音邈。又妙紹反。射徐音夜。又食亦反。李實夜反。

綽約 郭昌略反。字林丈卓反。 狂 按讀為逛。 疵癘 疵在斯反。一音子尔反。癘音厲。李音賴。 時女 按時讀為之，女讀為汝。

以為一 按至此句絕。 窅 徐烏了反。郭武駢反。 盛水 音成。 呺然 徐許憍反。 掊 徐方垢反。

龜手 愧悲反。徐舉倫反。李居危反。按徐譔以皸音為龜音也。說文無皸有瘃字，云瘃足也，瘃者中寒腫覈也，義同音异，徐混一，非是。龜本有拘音，李所音是也。其實

龜手之義，取其文坼如龜文，則正讀如字，陸所音是也。宜從陸。 洴澼絖 洴徐扶經反。澼普歷反。絖音曠，與纊同字。 樗 勑魚反。

狸狌 狸力之反。狌徐音姓，郭音生，又音星。 敖者 司馬音遨。 跳梁 按梁讀浪。 不辟 音避。 機辟 毗赤反。 斄牛 郭呂之反。徐李音來，又音離。

齊物論第二

物有生死，論有是非，然而死於此者旋生於彼，生機流轉，無時或息，物質不滅，新陳代謝。我以為是者人以為非，則生死是非之間亦何常之有。若夫天高地卑，首上足下，經常之理，終古如斯，無所用其辯，是無偶也。無偶者謂之道樞，是非生死，樊然淆亂，得道樞以照之而其理明，故曰齊也。而近人或謂莊子蹈於世情，嬾於辯異，雖知其不齊而姑齊之，若登九層之塔，俯矚人馬不能以寸，以此為齊，誠不合科學矣，豈莊生之旨哉！章氏講演，謂莊子之意窮究事理至於無窮，而然不然之理終不可得，故是非之來源不必窮究。是則漫汗糊塗而已，豈足貴哉，決非莊旨。此篇略分十六段；第一段南郭子綦述三籟（太炎云：地籟則能吹所吹有別，天籟則能吹所吹不殊，斯其喻旨。）證形體之無常，吾喪我之意，即前篇之至人無已，佛家之以形之無常，人所難了，故以聲是無常為喻破除我執。前人謂列子多襲佛說，是則然已然、聲是無常之義竟見於莊子，莊子亦豈偽書哉？道同揆一，東西賢哲遂不覺有冥合者耳。則形之無常亦自可知，是即齊生死、齊是非之基本原理也。世人斤斤然最不能忘者不過生死，今證其齊同，則其餘更可知矣。太炎謂此上總義畧破人法，第二段言人類大相，次復別明心量。心理現象，變幻無常，日夜相代，謂晝夜之間心境不同，己尚不自知，其何為而然，舊注謂日與夜代，誤甚。人乃執此無常者謂之為我，不知此乃稟諸自然，暫時和合，姑謂之為我而已。且莫得此，此即上所述心理現象，有心而後有我，然亦有我而後能取心之現象，以表之如是，則二者果孰為因果乎，墨經謂生者形與知處也，與莊說同。心理之我既不可知，形體之我愈不可執，世人乃有求其形之所以生與心之本體者，其事至難，今尚不可以知，即令知之，亦何益於人生哉，惟有付諸自然，任其來去而已，先破幻心，後破真心，法我兩忘也。真宰謂造物，真君謂心體，兩者皆為人所難知之事，今尚不可斷其有無，而世人竹竹然爭辯不已，故莊子謂神禹所不知，吾獨且奈何哉。蓋注多以真宰為實有，為莊子所特標之宗。又以真君即真宰，皆大誤也。有情而無形，亦謂心，心蓋無形，然有情可徵，今人知其有心在身。第三段言是非無定，實叩其兩端，無所偏倚，居中識外，遂其本然，則是之與非自不成問題矣。莊子齊是非之意如此，而世人謂莊子不辨賢愚，置之不聞不問，則亦木石無知而已，曷足貴乎？尚得謂之明乎！莫若以明與照之以天，語異而義同，蓋明辨其是非，得其本然之理，以應無窮，則彼自是相非者，皆無可容其喙，此所謂道樞也。舊注多誤。莫若以明一語，文中三見，可知莊子本心在明辨是非，絕非置之不問也，奈何後人猶以猖狂疑莊子邪！蓋道言既隱晦，故須明以辨之，太炎訓隱為依據，似失其旨。是非是相對之名，是由非顯，非由是見，易所謂一陰一陽之謂道，佛說真如起於無明，覺與不覺宛然對峙，然非常道，至於宇宙本然之理，則無與為對，故曰莫得其偶，謂之道樞，即今人所謂絕對至理也。樞者空虛，謂道本無體，此破去執。第四段發明庸常之理乃為萬物之本，然非若師心自用者各逞異說以自異於人也。昭文曠惠皆欲自異於人，是以其說愈繁，是非愈紊，不如還諸庸常之理，可以實用，可以大通，能如是，是亦可已，尚何勞勞焉各稱其私智哉。世人每擬莊子猖狂放恣，不循禮法，不知莊子所惡者小儒拘牽之禮，暴人妄定之法，而庸常之理固莊子所謂道也。故曰純純常常乃比於狂，惟莊子之中庸有非子思所謂之中庸可比者耳。（宣茂公謂莊子之書與中庸相表裏，亦是彼相之詞，中庸之主旨在誠，猶未能忘我，與莊子之齊物迴異。上段亦因是已，此段因是已，又亦因是也三因字皆作由字解，因由雙聲相段，其意為亦如是耳，以結上文之忘，無甚深致，而前人多以因作為說，轉益深求，遂以為此因字為莊子宗旨之所在，至以莊子因名書者誤也。）有第五段言己之齊物論與世人議論同為有謂，特大道難明，止於所不知，是亦不得已之說，然既知庸常之理，則亦何所用其辯哉。第六段兩三人不辯，是謂葆光，以明物論之惡齊。論者循其倫理而陳列之也，議者討求其是非利害也，辯者爭於迹象有人我彼此之見也。第七段日照萬物，無有等差，以明物論之應齊。堯伐宗、膾、胥敖，此以文明壓抑塞野也。彼三子自安於蓬艾之陋，而堯乃欲強以己所謂文明加之，毋亦各失其性邪？是強不齊為齊，非真齊也。十日並照，萬物羣生，本出無心，故無恩怨利害之可言，苟其適分，猶且灼物，況有心凌物，其害可勝言哉。第八段王倪三稱不知見世間學說是非樊亂，皆為假說，借以為探討之資而已，以明物論之惡齊。第九段長梧述夢，喻生死一致，以明物論之惡齊。化聲猶言，聲是無常，聲待器而後得聞，然樂不作而聲之理固自具也。故曰：化聲之相待若其不相待。舊注多誤。忘年忘義句，是一篇主旨，忘年是齊生死，是我空；忘義是齊是非，是法空。第十段以景之有待，而實無待，明物論之惡齊。第十一段以莊周、蝴蝶互化無端，明物論之應齊。

前文既成，又得餘義，即附錄於後。

不就利、不避害者，知生無可樂，故不就利；死無可畏，故不避患。此仍是申明生死一致之理，是以下文舉麗姬為喻，以證說生之惑，惡死之非。中間旁日月，挾宇宙，參萬歲而一成純等語，皆是極端形容、近於辭人之賦，故此數語亦有韵，此蓋不可強解，而前人一一加以比傅鑿已。

夢飲酒者，旦而哭泣；夢哭泣者，旦而田獵。此非若診夢者謂夢有應驗，乃極言人事變幻無常。

無謂有謂，有謂無謂，即上文是非一致之說。故本段後有我與若辯勝負同異之理。

根於無竟，故寓諸無竟，即上文得其環中以應無窮。

物論之是非、然否雖不可遽定，然而本然之理自在也。故曰：物固有所然，物固有所可；無物不然，無物不可。又曰：是若果是也，則是之異於不是也亦無辯；然若果然也，則然之異於不然也亦無辯。無辯謂事理顯白，不待多辯。舊注乃謂是非然否，理在不殊，不知莊子明謂有異，豈可謂之不殊哉？緣世人疑莊子既齊是非，似不應承認物有果是果然耳。不知莊子齊物，旨在明常，豈若木石鹿豕無知之物而已。是莊子竟承認世間有果是果然者已。如天高地厚，日升月恒，現象昭然，倘能謂之不是不然耶？除此類久經論定者外，諸所論者皆假說耳。姑借以立論，尚非果是果然，世之辯者方紛然並起，莊子以謂若此類者應思之以天，寓之於庸，寓者寄也，雖庸常之理亦不過暫寄而已，不滯於法也。而是非齊同矣。是莊子齊物論之意，非茫然混而同之也。故知止其所不知至矣，云者謂無偶之道樞，及人間庸常之理，每為人類所不及，此時之學力尚不可強知，則止於其分，以期諸異日，庶能遠離妄想，是學術演進之常態也。近世哲家謂宇宙本體及人生真際與心所等，皆不可知，意與此近而微不同。下文王倪三答不知，亦指此物。

近人某君撰文，謂齊物論非莊子原有，乃後人誤以慎到之說竄入者，其說非是。慎到十二論中雖有齊物一篇，見莊子天下篇引。然莊子謂其決然無主非生人之道而至死人之理，而莊子則明以道樞寓諸常理，一篇之中三致意焉。名墨同論堅白而有離盈之別，豈可以名家苛察繳繞蔽罪墨家。莊子、慎到同主齊物而有生人死人之異，不意某君竟視為同物，甚哉，輕言疑古，學者所宜大戒也。

眉注：

舊以齊物連讀固非，宋人以物一連讀亦未是，物與論蓋對舉者，物指有形，論指名理能，齊物論則人我、法我兩忘矣。舊以齊物屬讀，則斯義不具，太炎作釋，謂非專為統一異論而作，應從舊讀，是亦千慮一失也。近人或以物論猶物議、猶物倫，皆沿宋人說而誤者。

非彼無我者，彼亦心也。心果有邪，則非人所能知也，心果無邪，則並我而無之矣。無我則更何以知物者，故曰：非彼無我，非我無所取，是殆幾近於真際邪！然果孰為之主哉。舉不可知惟可行者，固已有論矣，故曰：可行已信也。寓言篇云：不言則齊，齊與言相齊，言與齊不齊也。人有彼此，理有是非，合是與非，更生是非，相反相生，永永無止。此所謂一與言為二，二與一為三也。莊子所謂齊是非者如此，佛家所謂字平等、語平等、法平等，非茫然置之不問也。

非指非馬之喻，謂名言不可拘執，蓋隨順俗情，則指是指，馬是馬，然名言本無一定，指之與馬，豈可拘執，無執則無言說，則諸是非皆可齊矣。

德清曰：世人之是非，乃迷執之妄見，故彼此是非而不休，惟聖人不隨眾人之見，乃真知獨照於天，然大道了然明見其真是，故曰亦因是也，此是則與眾天淵，故以亦字揀之。明即照破之義，故曰聖人照之於天，以窮以明之明，此為齊物之工夫。謂此破即無對待，故下文發揮絕待之意，而結穴於莫若以明。按舊注多謂莊子齊物無是無非，獨德清注謂明其真是，可謂獨見其大矣。德清又謂照破則了無是非，自然合乎大道，應變無窮，而其妙處皆由一以明耳，此欲人悟明乃為真是也，則物論不待齊而自齊矣。

淮南齊俗訓云：至是之是無非，至非之非無是，此真是非也。若夫是於此而非於彼，非於此而是於彼者，此之謂一是一非也。此一是非偶曲也，夫一是非宇宙也。淮南所謂真是非，即莊子所謂果是果非也，真是無非，真非無是，故曰無辯，謂無待辯白自明也。假是假非，彼此對峙，故曰偶曲；真是真非，無有對待，故曰宇宙，即莊子所謂莫得其偶，是謂道樞也。淮南此段，正發明莊義，故錄之。

音：

子綦。音其　隱几。於靳反。　荅焉。本又作嗒。同吐荅反。又都納反。　何居。如字，又音姬。按居讀為故。　籟。力帶反。　大塊。苦怪反。　噫。乙戒反。　萬竅。苦弔反。

怒呺郭云怒動為聲，按此亦借為努字也。呺胡刀反。又詐口反。　翏翏良救反。又六收反。又力竹反。

畏佳畏於鬼反。郭烏罪反。佳醉癸反。徐子唯反。郭祖罪反。李諸鬼反。　似枅音雞。又音肩。

似洼者烏攜反。李於花反。又烏乖反。郭烏蛙反。　似污者。音烏　鴞者音孝。李虛交

反。　宎者徐於堯反。一音杳。又於弔反。　咬者於交反。或音狡。又許拜反。　唱喁五恭反。

徐又音愚。　怒者按同努。　㵎澗古閑反。　淡淡徒濫反。　縵者末旦反。　窖

者古孝反。　惴惴之瑞反。　機栝古活反。　其殺色界反。徐色例反。　其厭於葉

反。徐於冉反。又於感反。　老洫按讀為侐。　變慹按讀為恋執。　如求得其情與

不得按至此句絕。　薾然乃結反。徐李乃協反。崔音捻。　鷇音苦豆反。李音穀。　莛徐音

庭。李音挺。　恢恑恢徐苦回反。郭苦虺反。恑九委反。徐九彼反。　憰怪音決。　狙公

七徐反。又淄慮反。　賦芧音序。徐食汝反。李音予。　唯其好之也以异於彼按句

其好之也欲以明之彼。按句　滑疑古沒反。　而大山為小音泰。按如字。

讀為是。　畛徐之忍反。郭李音真。　不嗛郭欺簟反。徐音謙。　不忮徐之豉反。又音跂。李

之稜反。五者园崔音刓。徐五丸反。司馬云圓也。郭音園。按园是误字、不知所當作。葆光
音保。宗膾胥敖按宗讀若崇。膾徐古外反。胥息徐反。敖徐五高反。釋然按釋讀為懌。
齧缺齧五結反。缺丘悅反。王倪徐五稽反。李音詣。鰌徐音秋。恂懼郭音荀。徐音
峻。麋音眉。蝍且且或作蛆。子徐反。鴟鴉鴟尺夷反。鴉於加反。耆市志反。
或作嗜。猵篇面反。徐敷面反。又敷畏反。郭李音偏。以為雌音妻。一音如字。鰌與
魚游按鰌借為醜、說文醜鼀詹諸也、七宿切。決驟按借為趹趣、說文趹馬行貌。古穴切。趣疾也。清
須切。古音七口反。冱戶故反。徐又互谷反。李互格反。按徐李音盍同涸。孟浪孟如字。徐武
党反。或武葬反。浪如字。徐力蕩反。向云音漫瀾。聽熒音瑩磨之瑩。於迴反。鴞于驕反。
脗合本或作脗。郭音泯。徐武軫反。李武粉反。何音昏。按說文吻口邊也、武粉切。與徐李音合、或從昏作脗、
因譌作脗耳。郭音泯者、因从昏之字俗多误作昏、郭從俗讀之也。向音昏尤误。其或作脗者、更由脗误也。
滑涽滑古沒反。向本作汩、音同。涽音昏。崔本作緡。武巾反。愚芚按讀為惷。麗姬力知
反。覺而後覺音教。下同。弔詭弔如字、又音的。詭九委反。黮闇貪闇反。

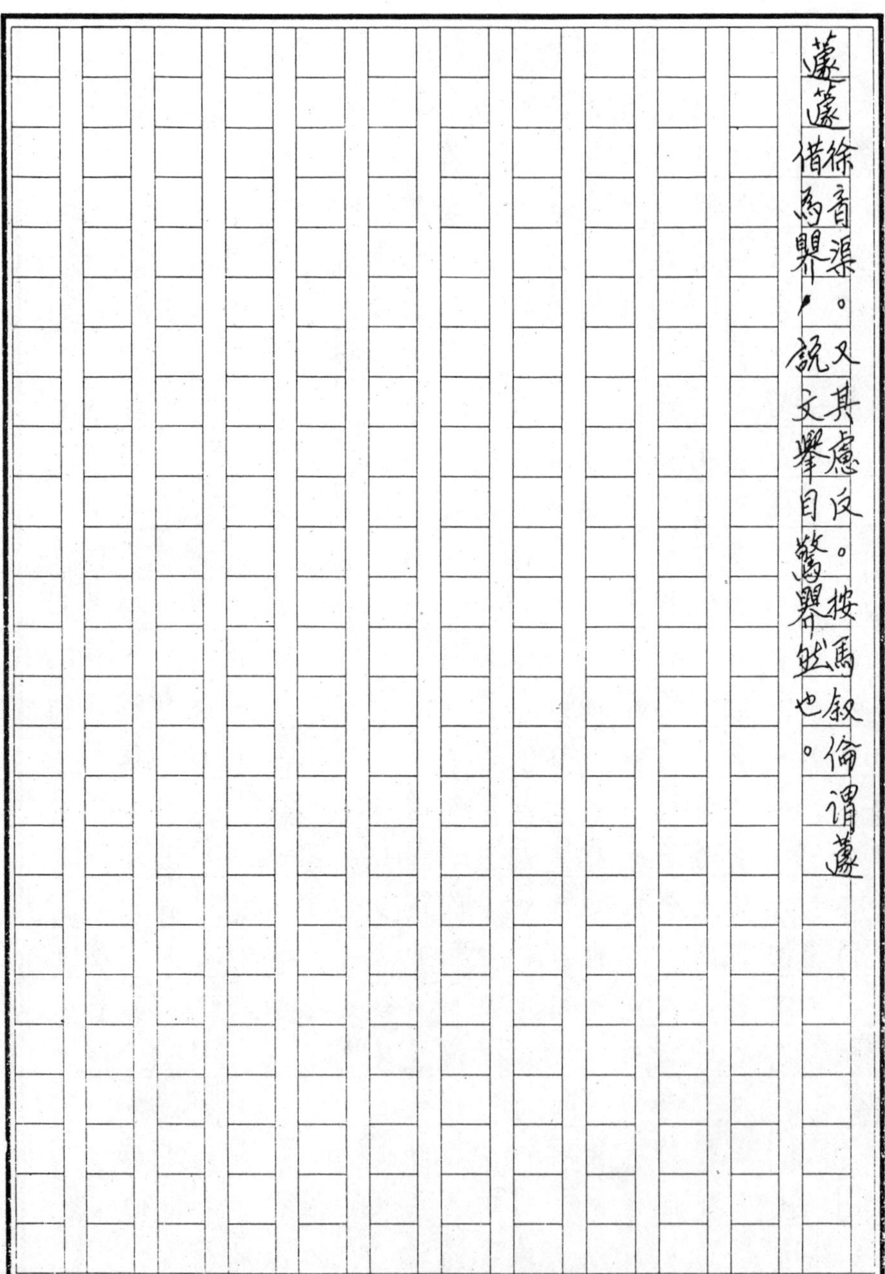

𨘢𨘢徐音渠。又其慮反。按馬叙倫謂𨘢借為䀠，說文舉目驚䀠然也。

養生主第三

養生主者，莊子自抒其對生死之觀念也。生既不足說，死亦不足懼，無如人已生此世間，將如何以御此生死之問題邪！莊子之意，以為順循中道之為常經而無過不及之差，如是而已。既不斲喪乎生，亦不勉避乎死，所謂中道也。

緣督以為經，前人訓督為中，或有疑者，清儒以督脈、衣裻為證，以督之為中，殆成定論，無可疑矣。前篇提出庸字，此又提出中字，則莊子對於儒家中庸之說，固自默契耶？然莊子外生死、破人我，且並法執而破之，所見極高，殆已优入聖域，具孔、顏樂處，而子思中庸斤斤然拘儒於識之一字，是猶未脫神我之見解也，去莊子甚遠。是莊子雖用中庸字，而與子思之含義絕不相同，亦猶書中道字甚多，不推非孔孟之道，亦且有異於老子之道，不可以其偶同而遂提之也。宣茂公輩乃欲合之。誤已。

如是為善為惡無所容心，特不可近名近刑耳，近名近刑皆足傷生而非中道也。知者知識學術思想也，隨者窮追也，敝精疲神以窮追乎知識終不能及，即令能達亦無益於身心性命之理，曷如安運任化以待知識之自來邪。此與老子為學日益，為道日損之說相合，莊子以自然為宗，對於知識學術，懸其窮追馳騖，與夫成心有為，則必將陷於困殆而不可救。若夫世運既進，文化自闡，豈復有害於性命哉，亦莊子所不拒也。此見生之重於知也，彼傾生殉學者可以返矣。以生殉學尚不足貴，況所殉下於學者邪，世以莊子為昌狂放恣，祇知享樂者，何其誤也。莊子只是求所以全生盡年，得天厚者不可促之使短，得天薄者亦不克延之使長，全之盡之，如是而已。庖丁一段以刀刃喻人生，涉歷艱難而無與禍攖，此禍包災人患。天全在虛心應物，不迎不將，無矯無詐而已。然此事至不易，故庖丁曰每至於族，吾見其難為，蓋隨事應付，淺深得當，要在自證，非語言文字所能了也。公文軒一段以人之足或一或二，喻人壽或脩或短，皆由於天，非人力所可施。人之貌有與也，言人之貌非可自主，皆天所與，舊訓與為偶，非是。澤雉一段喻人生以自由為貴。此與呂覽貴生不如死意畧同。老聃死一段發明生死去來皆屬自然，無所哀樂。遯天即是倍情，其意猶云違背自然耳，並非美詞，故下云忘其所愛，愛謂愛其成形人之愛，形本屬自然，今之老死抑又何悲，而老少哭之甚哀，蓋忘人生之為適然矣，故重責之，人為哀樂所纏，不克自解脫，猶被刑僇，故曰遁天之刑而王，蓋呂謂遁天刑是贅語，引德充符，天刑為證，不知彼處以天刑連讀，此以遁天連讀，前文遁天倍情是也，豈可比而同之。指窮於為薪一段，言人死而有不死者，在生機不息精神之不死也，物質分合形體之不死也，莊子義殆兼之。

眉注：

大小壽夭，徒為形相，若究其性分，則大非有餘，小非不足，故曰天下莫大於秋毫之末，而大山為小；莫壽於殤子，而彭祖為夭。和合四大而成形，神識流轉而有知，形與知處而得生，皆天地自然所運化，與萬物曾無少異，故曰天地與我並生，萬物與我為一。此數語者，詞若恢詭，意實平易，後世方士鬼道之流，交融附會，乃成誕妄，豈可以疑莊生哉。

繕性篇云：古之治道者以恬養知，知生而無以知為也，謂之以知養恬。宣穎云：以恬養知者，謂定能生慧也，此言是也。下文知生云者，謂世運漸啟，文化日進，則知自生，但不可任知耳。此莊子之本意，世人以為莊子反對知識、贊成愚蒙誤已。

音：

踦　徐居彼反。向魚彼反。按馬敘倫謂借為掎，說文偏引也。居倚切。

砉然　向呼鶪反。徐許鶪反。崔音畫，又古鶪反。李又呼歷反。章太炎云：說文所無，無以下筆。

騞然　呼獲反。徐許臂反。向他亦反。又音麥。崔云音近獲。章太炎云：說文所無，無以下筆。

譆。音熙

郤　，徐去逆反。郭音郤，按借為隙也。

窾　徐苦管反。又苦禾反。向音空，按款本有空義，此又从穴，後起字也。

技經　按馬敘倫謂應讀為肢脛

。

綮。苦挺反。崔向徐並音啟李烏係反，又音罄。

軱。音孤

謋然　化百反。徐又許百反。

奚侗謂爲磔之借。說文磔辜也，陟格切。

惡手介也 介音戒。一音兀。奚侗謂借爲尬。說文尳尬行不正也。公八切。又古拜切。

秦失 本又作佚，各依字讀，亦皆音逸。

人閒世第四

人閒世者，莊子自攄其處亂世之方也。不言治世而言亂世者，治世堯舜在上，由光在下，淳淳悶悶，無往而不適，更何必究心於處之之方乎。惟世運既降，狡詐日甚，舉手投足皆可與禍會。如是乃不得不考求乎游刃之道，此漆園所以寄慨而以人閒世名其篇也。然則事暴君、居亂世，日與人接，如何乃可以全生盡年邪？曰：無爭其名而晦其德，以無用為大用，真善全之道哉。全文分七段：第一段顏回請行，發明虛一應世之理，德蕩乎名，知出乎爭，矜名爭，善之禍盈於天下，故養生主以為善無近名為戒。賢人而事暴君，固將將順之不暇矣。順始無窮者，謂將順之事自此而始，且將不知伊於胡底，不惟事暴君如此，即相等夷者亦孰肯盡言以拂人之忌嫉者哉。將順君意則不敢正言，故曰不信厚言。信誠也。厚篤也。言不誠篤，違於良心，是心死也，故曰必死於暴君之前矣，非謂誅死也。桀殺龍逢固不足責，堯伐叢枝亦不能忘其實實是幣帛財貨。是聖人亦未能免俗也。然則人之涉世不亦難哉。顏回復設為端虛勉一，內直外曲，成而上比五端，以為應世之方，皆非了義。孔子示以心齋之旨，心齋者一志集虛也。此所謂一與虛，與顏回所說端虛勉一不同，端虛謂端肅謙虛，集虛謂虛室生白，勉一謂黽勉純一，一志謂專心不紛，前者人為，後者天機，前者有心，後者自然。前亦即佛家之破除我執。故顏回曰：得使之也，未始有回也，物我兩忘，至矣盡矣，即令有所行，亦寓於不得已，尚何患哉。耳目內通，謂收視返聽。外於心知，謂黜聰明。乃以神運，以寂照虛心應世，何往而不吉祥哉。至此第二段葉公使齊，發明義命自安之理，人道陰陽之患，為人人所懼，而又為人人所不可逃，世人當此，未有不憂灼者，其實無待憂灼也。孔子舉義命二戒以明之，愛親為命，心不可解，忠君為義，事無可逃。古代未有無君之國，故曰無可逃。自近世共和肇造，以民為主，淺者以謂竟無君矣，遂欲棄忠而不講，不知事無公私，必有長屬，長之者即君，屬之者即臣，天澤之分，即不復嚴，盡己盡命，豈可不忠，苟捐忠棄義，上下相賊，國將不國，而人類夷於禽獸矣。故曰無適而非君也，彼輩豈真不知其理，特譁眾取寵，以自便其私而已。背國懷敵者所以接踵於世也，是則大可哀已。此既已不可奈何，哀樂豈復攖其心哉。然此亦為忠臣孝子言耳，世有不忠不孝者，破抉籓籬，貪生怕死，固禽獸之不如，實則醜顏偷活，其辱有甚於死者，莊子所不屑論也。呂氏春秋全生、貴生諸篇，亦發明此義。此與儒家殺身成仁，舍生取義之精神何殊。特儒家有心為善，故行行焉以之為教，莊子則虛一應物，任運而行，此其異也。而世人乃謂莊子猖狂放恣，破壞禮教，何其重誣莊生邪！佛家雖演出世法，然亦不壞世法，莊子之意正與之同。乘物遊心，更何所患，此莊子無作用時之大作用也。傳言無溢，始簡畢巨，美成在久，皆處世閱歷之言，豈有遺棄世事之人而能深悉如此哉。莊子作吏漆園，官卑職下，日與萌隸相接，頻辱困頓，此人世情偽所以知之審切也。蓋入世最深，然後知出世之要，如來生長富貴，親見生老病死之

〃若，然後悅然有悟，脫然入山而獲大道，與莊子有同然者此兩段詳論進言之困，與韓非說難略同，與韓有解老、喻老，蓋亦與聞道家之緒言者，然韓之意在匡採人心以為進言之地，莊子則感於人心艱險，難可與言，不得已而有所接，亦應之虛一而已，所謂貌同而心異也。

第三段顏闔傅衛發明隨機誘道之理，與暴人居其勢甚危，若徒將順其意，則又近於阿諛，非正士所應出，故曰達之入於無疵，猶言導之使歸於正也。形就心和，近於圓滑，莊子之意，蓋謂隨事利導，使歸於正，若晏子之事景公，其所匡正者甚多。晏子本儒家，而世多疑其墨家，由事君、幾諫一端觀之，兩家蓋有同然者。世謂莊子玩世不恭，觀此知其誤矣。莊子之說近於事君、幾諫，晏子之徒也。至淳于髡察言觀色為務，非莊子所屑。以下列三喻，皆閱世有得，慨乎言之。螳螂喻不可矜美，虎可使喜，馬可使怒，喻人心無常，因應為難。

第四段匠石之齊，發明無用之用。人之生斯世，亦求全其生、盡其年而已，豈求有用於世哉。彼為聖為賢，為凶為頑，皆欲用世而卒為世所用，藹然疲役，不知所歸，清夜自思，能不自失。故莊子以無用為大用，可謂參透世機矣。櫟寄於社，亦委心任運之一法，非自求為社也，故曰寄焉，有心求之，先有得失之憂，非莊子之所貴也，不幸為棟為樑，亦義命之無奈何，櫟亦將安之，無所哀樂焉。下更舉不材不祥二事證成此義。第五段支離疏義與上段同。第六段接輿歌鳳慨當世之濁亂，有高舉之志。第七段山木自寇，言世難險艱，然亦以人多自逞其才乃陷於禍患，不如以無用為貴。或說自第四段下通為一章，亦取顯露，故更析之。

前文既成，又得餘義，錄之於後：

無聽之以耳而聽之以心，無聽之以心而聽之以氣，此以耳概鼻、舌、身，意謂虛一應物則無不通，遺之又遺，漸階玄妙也。聽之以耳，牽於外物也；聽之以心，中有主宰也。心有主宰則是有心有為，不能滌除玄覽，猶非上策，故應聽之以氣。任聲之來，不逆不憶，無情無慮，因物付物，所以謂之為虛而待物者也。

入則鳴，不入則止，謂能聽吾言則言，不能聽則止，然非竟止也，蓋竟止則近於恝然，非賢聖之心，必也相機利導使歸於正，方不負救世之初心。本篇後文蘧伯玉告顏闔，先與為嬰兒、無町畦，終乃達之，入於無疵。莊子之意並不以其不可教誨而遂絕之也。此處文不具耳，與後文合觀，其義乃足。

知天子之與己皆天之所子，此忘貴賤而人類皆平等之義，與耶教謂天主為人類之父者畧近，然彼謂天主實有，此謂天為自然，見之高下，殆不可以道里計。

無感其名，無门無毒，謂人之涉世，一切云為皆因物付物，無所容心，人自諒其不得已，則不至為人所指目矣。毒门義以李楨說為是。

吉祥止止，俞曰止止連文，於義無取。按此止字即齊物論止其所不知之止，能止於所不知，即本文所謂以無知知者也，止於此應止之境，是謂吉祥。倘不能止於此，精神外鶩，不克安息，尚何虛一之有。莊子謂之坐馳，俞氏乃信淮南列子，欲改止止為止之，淮南後出，列子偽書，殆皆不明莊義誤引之耶。

眉注：

或謂至人先存諸己而後存諸人之說與至人無己義戾，又愛視為命、事君為義之說純屬偽言，因疑此篇為贋作，不知人之立說各有所宜，盡其性分，則物論應齊，涉歷人世，則義命當遵，此正莊子出世而不棄世法之大作用，豈可轉以此為疑哉。

或疑心病之說襲諸佛氏，章太炎謂古者以詩、書、禮、樂教士人皆守禮，故能安定。後人無禮可守，心常擾擾。曲禮云：坐如尸，立如齋。論語子之燕居，申申如也，夭夭如也，視聽言動皆不敢非禮，是即心齋工夫，則佛法未入時中土非無晏坐法也。

德清曰：莊子全書皆以忠孝為要名譽、喪失天真之不可尚者，獨人間世一篇則極盡其忠孝之實，一字不可易者，誰言其人不達世故而恣肆其志邪。蓋學有方內方外之分，在方外者必以放曠為高，特要歸大道也。若方內則于君臣父子之分一毫不敢假借，以世之大經大法不可犯也，此所謂世出，世間之道無不包羅，無不盡理，豈可以一概目之哉。

按禮記祭統，齊之為齊也，齊不齊以致齊者也。又云齊者不樂，言不敢散其志也。又云定之之謂齊，齊者精明之至也，然後可以交於神明也，古代言齊者如此。

瞻彼闋者，虛室生白，吉祥止止十二字，舊注多不了然，謂室以喻心，心能空虛則純白獨生，然闋字終不可解，章太炎謂說文事已閉門為闋，此蓋言晏坐閉門，人從門隙望之，不見有人，但見一室白光而已，此種語佛書所恒有，中土無之，故舊注不了也。

說文事已閉門為闋，蓋祕閉戶牖，室即昏闇，然坐久亦能見物，此所謂虛室生白也。因中土建築本不堅緻，光线即缘罅隙而入，亦因人之瞳孔畧可張翕以應明暗，如貓犬能夜視然。虛靜之中，能生光明，以喻心能虛靜，慧定自生，故為吉祥之所止也。舊注以室喻心，斯為得之。太炎以佛為說，轉近穿鑿也。

音：

若蕉　似遙反。徐在堯反。按讀若憔悴之憔。

相軋　軋各本作札。此從徐於八反。又側列反。亦本說文，軋報也，烏轄切。段謂此从甲乙為聲，非从燕乙為燕，今韵入十四黠，似誤也。馬叙倫云：借為犖。

信石　徐古江反。崔音椌。

諮　音額。按五陌切。

傴拊　傴紆甫反。徐向音撫。

拊

大多　大音泰。徐敕佐反。崔本作太。

諜　徐徒叶反。向吐頰反。

葉公　音攝。

清　七性反。字宜从氵，从氵者假借也。

易施　施如字。崔以豉反。云移也。

大至　音泰，本亦作泰。徐敕佐反。下同。

忿

設　按王闓運謂設同吺，說文囁吺多言也。當侯切。

論　音辯。

不擇音　按音如字，讀或依左傳，

訓蔭者，非是。茀然李音怫。崔音勃。屬如字，李音賴。衛靈公大子大音泰。
天殺如字，徐所列反。按應讀色界反。為孽彥列反。挈向徐户結反。徐又虎結反。樠
亡言反。向李莫干反。郭武半反。柤側加反。按吳謂借為櫨，正與側加反之音合。泄徐思列反。崔
云泄洩同。俞謂讀若抴，音羊列切。掊普口反。徐方垢反。診徐直信反。芘本亦作庇。徐
甫至反。又悲位反。崔本作比。藾音賴。軸直竹反。吳至甫謂借為甹，普丁切。咶食紙反。
酲音呈。杙以職反。又羊植反。郭且羊反。椫音膳。會撮會古外反。徐古話反。向音徐
活。撮子外反。向徐子活反。繲音线筴初革反。徐又音頰。按徐音是。郤曲去逆反。
按此應讀去約切，用郤退義，非借為隙也。

德充符第五

此篇論精神之修養，德充於內自有形外之符驗，故能遺世獨立，忘生無我也。畧分五段，大概舉兀者、惡人為例，外貌雖缺，內德自充，以示精神重而形骸輕，況形全者豈可不充其德，以深自得天之厚歟！第一段王駘無足而能得其常心，常心即真如，一知之所知，謂以無分別心而有分別用。則德全矣。是以人皆歸之，重德而忘形也。常季乃以無足而神王為疑，彼兀者也，而王先生舊注以先生指仲尼，非是。王者㞷之借字，艸木盛也。先字疑衍，生者性也，言彼兀者形體既殘而精神王盛，故以為疑。此盡代表常人之見解。常季猶言常人中之幼稚者，謂其識之淺。仲尼答以守不變之道者，可以外形骸，則兀者之神何以不克王邪！破常人形體之執也。生死之苦，人之大事，然有真君不與生死俱變者，雖天地崩而不隨之遺失。儒家謂乾坤幾息，易始不見，亦猶是也。無假者真也，謂真君也。審乎無假之道而不與物遷，執樞守中，遊心視一，生死可忘，何況形骸？人本萬物之一，地水火風所和合，與他物初無所異，自以為靈秀所鍾毓者，常人之妄見也。故曰自其同者視之，萬物皆一也。常季又疑此特修己而已，何以人皆歸往之邪，以此發問。以其知得其心者，謂以知識求得心之現象也，以其心得其常心者，以心之現象，進求得心之本體也。仲尼答以有德者人自歸之，非有動衆之意。正生謂自得性命之正以正衆生，謂物性亦皆自正，相薰相習，非有所為也。勇士求名猶可以蓋九軍，況全德之人與天同化，有不為人所歸往乎，即一日克己，天下歸仁之意。心未嘗死，謂得其常心，不以死生變。章氏謂大乘發心，惟在斷所知障，此既斷已，何有生滅與非生滅之殊。第二段中徒嘉亦無足而德全，故忘貴賤，人治既衰，刑網至密，此人事之患也。天德既降，慾尤實多，此良心之責也。以此涉世而欲免累難矣。外形骸、忘貴賤、此精神修養所以足貴，亦不得已之法也。第三段叔山無趾亦無足而德全，古今來志士仁人奮身救世，卒乃身敗名裂，為世大僇者多矣，此輕用其身以亡其足之類也。龍比殺身，商鞅車裂，淮陰族滅，鼂錯朝服而斬，柳州遠竄，荊公被訾為拗，江陵死而籍沒皆也。是尊於足者謂精神也。老莊尊生，故逍遙無礙。孔孟救世，故不破世法。左支右絀，若桎梏也。無趾謂孔為天刑，雖孔子亦自謂天之僇民，孔孟蓋以出世之精神為入世之作用。佛謂我不入地獄誰入地獄，其義正同。第四段哀駘它形惡而德全，為人所愛，蓋可愛在德不在形，譬以肫子愛生母不愛死母。戰而死者不以翣資。資送葬也。翣者戰車之飾，戰士所用，今已死無所用飾，故不以之送葬也。舊注拘甚，才全者謂受於天者全也。說文才艸木之初也，艸木之初而枝葉畢，寓生人之初而萬善畢具，故以才為受於天之性之稱。

三代而下豈無憂民之君，然而輕用其身而忘其國者何其多也。若宋神宗、明莊烈其顯例也。樹義既堅議而至於辯，卒釀戰禍。前世若墨家非攻而講求戰備，蓋既有人己之辨，則不至於戰不止，所謂為義偃兵，造兵之本也。世若汎繫納萃，多數乎民相爭相競，終成巨禍矣。

近讀哀公告閔子之言，可不哀邪。第五段闉跂甕盎亦形惡德全之例。末引惠莊論情，發明有人之形，無人之情，任物而不益生也。益生猶言溢於性分之外，堅白之論與人競勝，皆非自然，故舉以為益生之例，世人益生之事不僅堅白，因與惠子言，故言如此。德有所長，形有所忘，為本篇宗旨。

眉注：

方濳曰：以其知得其心明心也，以其心得其常心見性也。

胡遠濬曰：知即釋氏所謂意識，心即含藏，識常心即真如。說均可通，可知古今學術皆是名言，遷質其實，多可相通者。

音：

兀者五忽反。又音界。篆書兀介字相似，按此音界者非。王駘音臺，徐又音殆。物何為最之哉最徂會反。徐采會反。司馬云：聚也。子而說之執政說同悅。蹵然子六反。諔詭尺叔反。翣資翣所甲反。奚侗謂借為鋏，古叶切。滑和。音骨不失於兑兑徒外反。奚侗謂借為侻脫。日夜無郤郤去逆反。闉跂闉音因。郭烏年反。跂音企。郭其逕反。無脤脤膂同。脰音豆。甕㼜甕烏送反。郭於籠反。㼜烏葬反。郭於兩反。

天鬻音育。天食音嗣。受食如字。又音嗣。眇乎亡小反。謷乎五羔反。徐五報反。而瞑音眠。按瞑即眠本字。

大宗師第六

宗者可以為主，師者可以為法，最足以為人所宗師者其為真人乎！莊子所舉以為標準之人格，忘物忘人，無我無法，自然之極則也。首舉天人之辨，天者自然，人者人為，物皆自然而生，故當順其自然。天之所為謂天之所稟賦也，人之所為謂人之所修持也，天人交融而生始遂，不然則天人偏勝而生不全矣，故以知天秉知人為至也。人亦受生自然之中，與萬物同然，既有耳目心思，自非木石無知之比，極其所知，又不能盡知自然之真際，徘細兩者，進退皆失所據，莊子以為以其所知養所不知，以終其天年，養者任而不強，凡人養生皆無所強，然任運無所用心也。自故所知不以無涯自困，勞精疲神，以求多知，終喪其性命之情，莊子所謂殆也。，世運既進，文化自開，則莊子亦必不因求無知，此所謂以知養不知也。繕性篇謂之以知養恬。雖然猶有所患，以其不能忘知也。胡遠濬謂道本不知其然，知天知人云者，特順俗以主二名，執之則又非也，故復遺之。世所謂知，皆以應物，故曰有待。中土重人倫，故儒家嚴上下之分。印度苦種姓，故佛家倡平等之旨。歐土困貧富，故社會主義者紛紛創制產之方。當其時地皆足以救世，時地有異，亦莫不有窒礙，故曰知有所待而後當也。物萬變而無窮，知亦萬變以應之，故曰未定。納萃多數之黨人強欲推其所知以被於異國，此不明於未定之說也。既未定矣，則天人之際果何從以辨之乎。嗚呼！此誠無可奈何之事，過而弗悔，當而不自得，其真人遺知之妙用邪。當機運用，無非自然，則天之與人，理歸無二，故謂天即人，謂人即天，泯合天人，掍同物我矣。如此之人謂之真人，如此之知謂之真知。真人者理想之人格，真知者知識之本體，皆不可企及，不可體驗者也。本篇大旨畧具於是，以下則就真人而加以形容，以見忘生死、任自然之境焉。不逆寡、不慮寡效也，不雄成、不急成功也，不謀士、行所無事也，當而不自得、知之所知也，過而弗悔，養所不知也，天人交盡，利害何有於我哉。真人之息以踵，宣茂公謂呼吸通於湧泉，此與生理不合，此句及下三句殆方士輩以其吐納之說為其息深深句作解，不知莊子祇謂其深深耳，豈必至踵哉。且屈服耆欲兩義，與真人亦無閡，愚意此四句應刪。不以心捐道，孟子所謂勿忘也；不以人助天，孟子所謂勿助也。刑、禮、知、德四者，皆世法也，真人於此四者，勿忘勿助而已，勿助則世人疑其疏放也，勿忘則世人疑其勤行也，其實既非疏放，亦非勤行，一之而已矣。故曰：其好之也一，其弗好之也一。天無彼我，人有是非，推其究極，咸歸空寂，非惟人不勝天，天亦無以勝人，故曰：天與人不相勝也。人特以有君為愈乎己，云者謂君無足貴，特勝於無君而已。己猶上也，舊注以為人己之己，失之。而況其真乎，真謂真君，承上有君言之，故省君字，真君謂心也。夫道有情有信以下一節，列舉鬼神人物為說，似放自老子。天得一以寧一段，文字益加恢詭，殆近黃庭、玉笥，與莊子內篇詞義不類，殆後學不達莊意所妄增，其方士三流亞耶。

女偊一段，發明修道之次第，忘物忘人，遺我遺法，至矣盡矣，不死不生是莊子已證入無餘涅槃矣。然必有才而後能受其道，則閡人世根器有利鈍也，又必究其學，副墨洛、誦瞻明、皆為學下手工夫。而後能疑始，疑佁者癖佁也，無知識之皃。人類進化由愚而智、而有語言文字，然文字有限，不足以達語言，而語言有限，又不足以達意志，是以文字語言所表，有不及其初疑佁之能得道真者，是以莊子逆究其初也，此所謂歸真良朴，擺落言詮，而非真以疑佁為極致。而世之解者多誤，會莊旨，以為莊子誠愚，無乃為莊子所笑耶。則謂頓漸二教不可偏倚也。莊子之言如此，豈真狂肆哉。子祀一段，發明生死一致之理。生死為陰陽所操縱，何必哀樂，與齊物論所說畧同。子桑戶一段，發明外內不相及之理，孔子自謂僇民，即佛入地獄之意，非重方外而輕方內也。孟孫才一段，論禮以意為重，承上段禮意一語而深言之，禮之有儀，其名也，明於生死之理，其實也，世人徒知注重躃踊號啕，而不知哀樂之端，天機自動，又為知禮意邪。意而子一段，發明世法雖不合於自然，謂仁義是非。然無害於自然，要在鍛鍊之功，鑪錘猶言鍛鍊，美色、勇力、聖知皆人為，非天然，苟能自鍛鍊，未嘗不可遣除之。可知莊子雖任天，亦不絕人事矣。顏回一段，發明坐忘之理，一心行乎仁義而不自知，是忘物也；一心存乎敬愛而不自知，是忘我也。物己之見無有，而所行所存隨感而應，是忘忘也。章云：非與仁冥，不能忘仁，非與禮冥，不能忘禮，所見一毫不盡，不能坐忘，故曰：同則無好也，化則無常也。子桑病一段，閔人世之不平，而極之於命，哀之至也。悲天閔人，寄意無窮，非能仁大慈，孰能至於斯。世謂莊子遺世獨立，獨善其身，豈其然哉。

末段意懷悲閔而詞甚激烈，與大宗師義又不合，殆是他篇錯簡，後人以其同為子桑、子輿之事，遂附諸此篇之末邪。識者詳之。

餘義二條錄於後

莊子多言真，真宰、真君，此處又言真人。說文：真、僊人变形而登天也。神僊之說起自方士長生变化，其理想奇誕，先民質樸，局於現實，未必有超世之思，化形登天，必出於政亂而後民不安生之世，則真字其起於東周邪。古代學人創一新說，每自制專字，以自矜異。若易家所造有冒、有无。墨家所造有恕、有吡、有僙。他家雖不必特造，而形體雖舊，賦義則新。方士之造真字，殆亦此類。真假古祇作誠僞，慎字从真，亦誠之借，他从真者：槙、鎮、瞋、謓、填、窴、闐、嗔、滇、鬒、瑱、顛等，多屬後起，不足證蒼頡時已有真字，真字以𠤎為初形，从匕、从儿一以識之，言人或僊化去也。真字从𠤎譌变从匕目乚八，無以下筆。莊子生於晚周，怪迂之說，殆久盛行，姑假其字以為之名，不然莊子豈有不知变形登天之說之虛誕哉。

夫道可傳而不可受，可得而不可見，其意雖近是，然語隣神祕，後世道流，每喜作此類說，以眩燿人。莊子他文皆不如是，以此疑也。

眉注：

外天下者，謂無空間觀念也。外物者，謂一切物體皆不足攖其心也。外生者，謂忘我也。朝徹，猶言頓悟，見獨，謂人所不見，己獨能見。無古今，謂無時間觀念。人之生死，不過時間之流轉，既能無古今，則生死之念因之滅絕，乃能證知不死不生之境矣。以上所釋，略本章太炎講演。不知所以生，不知所以死，惟簡之而不得。簡、擇也，言簡擇生死之理渺不可得，蓋生死之理本為人所不能知也。孔子亦曰：未知生，焉知死。知其不可知，是知也。

漁父篇謂處喪以哀，無問其禮矣。禮者、世俗之所為也；真者、所以受於天也，自然不可易也，故聖人法天、貴真不拘於俗，愚者反此，此可與孟孫才事相證，知莊子反對禮儀，非不哀其親之死也。

音：

不謩士没乎反。登假更百反。其嗌音益。郭音厄。若哇獲媧反。徐胡卦反。又音維。一音於佳反。不訢音欣。又音祈。儵然徐音叔。郭與久反。李音悠，本又作儵，音蕭。頯徐去軌反。郭苦對反。李音仇。一音逵。義而不朋按義讀為峨。朋讀為崩。其觚音孤。邴邴乎音丙。郭甫信反。滀乎勅六反。悗乎亡本反。字或作免。其殺也如字。相呴況于、況付二反。相濡音儒。一音如戍反。狶韋許豈反。郭褚伊反。李音豕。挈徐苦結反。郭苦係反。伏戲音羲。堪坏徐扶眉反。郭扶杯反。崔作邳。大川一本作泰川。大山音泰。又如字。禺強音虞。郭語龍反。女偊音禹。音矩。李　卜梁倚魚綺反。其綺反。又　參日音三。　聶許徐乃攝反。

於詎於音烏。又如字。　曲僂徐力主反。　句贅俱樹反。古侯反。徐　有沴音麗。徐

又待頭反。郭奴結反。　其心間音閑。　跰蹮步田反。悉田反。下　亡如字。絶句。

喘喘川轉反。又尺軟反。崔本作惴惴。　怛丁達反。　不翅徐詩知反。　蘧然李音渠。

又其據反。　撓挑撓徐而少反。郭許堯反。挑徐徒了反。郭李徒堯反。又作兆。　猗於宜反。

縣疣縣音玄。疣音尤。　𤴯胡亂反。　憒憒工内反。　觀古亂反。　相造七報反。

畸人居宜反。其宜反。李　旦宅並如字。李本作怛咤。上丹末反。下陟嫁反。　吾之耳矣

挍吾讀為娛。下吾之手巨。餘如字。　不及排挍讀為誹。　安排皮皆反。　軹之是反。郭之

忍反。　齏子兮反。　裹飯而往食之食音　趨七住反。

應帝王第七

應帝王者，治世之精神也。抱此精神者，雖無帝王之位，而與帝王之德相應，故曰應帝王也。莊子以超軼之見，了天人，達性命，區區治世之功，豈足以塵其心知？無如人既受生入世，即無以離世而獨立，而世既衰亂，又不克一蹴而返於理想之域，（無帝、無王、無貴、無賤，泯然同化，則至治矣。）則必有以治之方，不至靡靡波流，一往而不可救，此莊子救世之苦心哉。然其治亦有以異於他人之治矣，他人之治有心之治，莊子之治無心之治，故曰無為而治，無為而無不為。莊子論天人性命之理有非老子所可範圍者，至論治世則無以大異，蓋老子本周柱下之史，深觀古今治亂所由，主南面君人之術，治世之極則也。畧本漢書藝文志說如此。雖以莊子之造深詣微，至應帝王亦無以逾之，亦因是已。天人性命，其精微也；治世之術，其粗迹也，故應帝王列在內篇之末，輕之也。蒲衣子一段，明帝王當先忘我，有虞氏所以不及泰氏者，泰氏能忘我，有虞氏尚不免有我也。藏仁以要人者，藏仁謂懷仁而不矜、是也；要人則猶有濟人之心、非也，故曰未始出於非人，非人者天也；未嘗出於天言，不自天出則非自然任運，非治之極也。以泰氏不然，安穩無知，隨人牛馬，自然無虛矯，無偽飾，豈尚以要人為心哉。任運自然，並天而忘之，故曰未始入於非人，非人者天也，未嘗入於天，並天而忘之也。接輿一段，明私心制法不足以治天下，法制愈繁，則人之玩法也愈巧，故謂之欺德，言上下以此相欺也。猶言愚民政策。老子謂民不畏死，奈何以死懼之。无名人一段，明治天下不可逞私知。帠徐音藝，未詳何字。崔本作為，按說文為古文作𤔔，則帠為𤔔之譌耳。崔本是也，徐音誤。老聃一段，明為而弗有，成而弗恃之理。一切聰明才知皆不足以治天下，徒然僨事而已。胥易者，胥借為諝，知也。易治事也，言有才知，徒供人役，與技係義同。巫相壺子一段

，明帝王當虛己無為，立於不測，不可使人得相其端，以
閒機智，其取意如是而已。詞多比況，不可拘鑿。杜德機者，杜
閑也。德得也。機讀為幾。動之微吉之先見者也。無得無失，若槁木死灰，故疑其死也。喻國無政令，善者、機者
疑當作生，言善全其生，與杜德衡氣兩詞同例，則若善者則殊不類，喻國事根舊。衡氣機者，衡平也。氣，質也。莊
子中氣字殆指和合成人身之物質，若佛家所謂地水火風，歐人所謂水炭燐鐵等十餘元素者近之。人間世篇無聽之以
心而聽之以氣，心有知，氣無知也。至樂篇非徒無形也而本無氣，形已成人身，氣尚非人身也。此衡氣云者，棍然
四大而已，不能測其果為人抑果非人也，故曰太沖。莫勝，勝應作朕，朕跡也。喻國無為而治。此段畧與老子國之
利器不可以示人之義同，余故謂莊子他文有超軼老子之外者，而應帝王篇則多闡老義，殆以世法非所重邪。无
為名尸一段，言治國者無為而無不為，其喻若鏡。莊子之意特不
可為尸府任主耳，而名謀事知，固不可竟去之也，若鏡之於物，特不藏之，則未嘗不應，此正老子無為而無不為之
旨，苟竟不為，則是木石非鏡，何以收應物之效哉。而渾沌一段，言人事日繁，天真
漸喪，喻政令煩而國亂。舊約謂夏娃食果，目明知羞，降謫人間，更歷諸苦，與此喻畧同。

眉注：

虛己無為、任法也，立於不測、任術也。法家商、申兩派肇於此矣。任法之極，近於共和；任術之極，近於專制。後世政體亦不越此範圍，老子之道，誠君人南面之極致也。

音：

蚉音文。　蓼水音了。　壙埌壙徐苦廣反。埌徐力党反。李音浪。　帠徐音藝。又魚例反。一本作寱，牛世反。崔本作為，按崔本是，孫詒讓以為假字。　必信夫信讀為伸。　鄉吾示之許亮反。本作鄉，亦作向。同。　不誫按讀為震。　瘳丑留反。　全然按讀為痊。　不齊側皆反。本又作齋，下同。　莫勝按讀為朕。　鯢五兮反。　潘按讀為瀋，說文大波也。孚表切。　自失如字，徐音逸。　為弟徐音頹。文田反。　食豕音嗣。下同。　儵音叔。　渾沌渾胡本反。沌徒本反。

內篇後記

今秋來寶應，得晤芮、郁兩君，共讀南華，頗有所得，輒隨筆記之，未有次第，一月以來，間以疾病，雖未能畢全書，而內篇已竟，因取所記，繕為清本，然後知漆園果秉有內聖外王之道，非別家所可及，尤以乱世之人讀之，感激者愈深。嗚呼！天地否塞，儉德避難，此其時矣。守此一編，毋乃為荷戈之士所重笑邪。因賦一律，題於卷尾。

卅二年冬至夕，隨伯子識於寓亭。

棲遲斗室讀南華，
兵氣崚嶒照海涯；
敢說微言空向郭，
誰輕器世閱蟲沙。

孤城寒意侵衣袂，
促座温談點荈茶；
自笑名詮等蛇足，
漆園義命勝儒家。

莊子外篇章旨

駢拇第八

吳澄曰：莊生書瓌瑋參差，不以觭見之。唯駢拇、胠篋、馬蹄、繕性、刻意五篇自為一體，其果莊氏之書乎？抑周秦間文士所為乎？未可知也。

焦竑曰：內篇命題各有深意，外、雜但取篇首字名之，而大義亦存焉。

蘇輿云：駢拇下四篇，多釋老子之義，周雖悅老風，自命固絕高，觀天下篇可見。四篇於申老外別無精義，蓋學莊者緣老為之，且文氣直衍，無所發明，亦不類內篇汪洋俶詭，王氏夫之、姚氏鼐，皆疑外篇不出莊子，最為有見。即如此篇，首云淫僻乎仁義之行，末復以仁義淫僻平列，踳駁顯然。且云余愧乎道德，莊子焉肯為此謙語也。外、雜各篇多學莊者之言，前人論之詳矣。雖詞不純粹，義多舛駁，然亦間有精說，不盡膚淺。蓋雜出眾手，造詣不同，亦時有莊之緒言廁列其間者，不盡偽也。讀者宜分別觀之，不可以其為外、雜而輕忽視之也。本篇大旨以謂仁義乃聖人之多事，譬之駢拇枝指，與盜跖死利同為殘生傷性，非天下之常然。常然者自然之謂也。任運逍遙，無功無名，内篇之旨，即明此義。則此篇大旨，固與莊不悖，然其詞過激，與莊子卮言之圓融者迥別矣。世人多以莊為猖狂，老為清淨，不知憤世激烈之情，老固遠過於莊。莊子内篇悲天閔人，出世而不破世法，於内聖外王之道，再三致意，與老蓋同源而異流，豈以破扶藩籬，逞一時之快為意哉。此篇以仁義為大惑，伯夷為死名，則亦異乎内篇之所持矣。且伯夷之死豈殉名哉，必義命之所不得已，有不能不死者，彼盜跖死利，豈有所不得已，兩者迥別，焉可比而同之。仁人之多憂，在憂世之患，則固非盡好名，乃一概薮之為好名，一篇之中，前後違戾，莊子之文倘不宜如此，前人謂學莊之徒緣老為之，理或然也。五藏謂仁、義、禮、智、信，儒家所謂五常也。儒家後學附會陰陽五行之說，以為仁、義、禮、智、信五常之理，比傅於五行、五方、五味、五藏，其說支離，本不足信，篇中方舉常然之理，為天下之極，故不云五常，而曰五藏，以致諷焉爾。

本篇多用詠嘆反詰語氣，以增神韻，如出乎性哉，出乎形哉，列於五藏哉，連用三哉字；五色五聲，仁者辯者，四節連用四非乎。搖曳作態，近人某君謂莊子文善用虛字，豈謂此類耶。

堅白同異之辯，乃施、龍輩長技。墨子雖亦論此，然與辯者異趣。楊朱之書既佚，所存遺說未有作堅白同異之辯者，此兼言楊、墨與天下篇不合，未知其故。近人某君撰中國倫理學史，謂楊朱即莊周，觀於此將啞然自笑已。

自得自適，儒家所謂為己之學也。得人之得，適人之適，儒家所謂為人之學也。盜跖殉利，不可謂自適。夷齊、箕子，義命自安，豈可謂適人之適，其語未免過激。

音：

騈梅 騈步田反。梅音母。

多方 按方讀為旁。

五藏 才浪反。下同。

擢 音濯。

塞性 按王念孫謂借為搴。說文作攓，拔取也。九輦切。又音騫。

跬 徐丘婢反。郭音肩，向崔本作趌，向丘氏反。按說文有趌無跬，趌下云半步也，丘弭切。

無所去憂也 按去如字，又讀為弃，左昭十九年傳、紡焉以度而去之，疏去即藏也，字書去作弃，謂掌物也，今閩西仍呼為弃，東人輕言為去，是弃乃去之後起字，其分輕重讀，亦分別音也。今讀弃如舉，與去疊韻相轉。

意仁義 意如字。

齕之 李音紇。徐胡分反。又胡突反。

郭

蒿目 好羔反。

饕 吐刀反。

囂囂 許橋反。又五羔反。按次反即嗷

字音也。

呴俞 呴況于反。李況付反。俞音臾。李音喻。

纆索 音墨。

馬蹄第九

王夫之曰：引老子無為自正之說而長言之。

蘇輿曰：老子云：無為自化，清淨自正。通篇皆此旨，而終始以馬作喻，亦莊子內篇所未有也。

伯樂治馬，失馬真性；聖人治天下，失民常性，不如無知無欲而民性得矣。此一篇大旨，蓋不出老子無為之義。然老子尚有無不為義，此未道及，則於老義亦偏而不全。

山無蹊隧一節，即老子小國寡民之說，當老子時，國際間之兼并尚未甚烈，故老子有此主張。莊子生當戰國，兵連禍結，亡國破家相屬，小國寡民之說豈復能行於世？內七篇中未嘗稱道此意，則此篇所述，蓋誤沿老說而昧於時代也。

故馬之知而態至盜者，態讀為能，舊以形態說似非。

音：

馽 丁邑反。徐丁力反。李音述，作馵者非。

皁 才老反。

鞭筴 筴初革切。

填填 徐音田。又徒偃反。

顛顛 丁田反。

蹊隧 徐音奚遂。

蹩躠 蹩步結反。向崔本作弊，音同。躠本又作薛，悉結反。向崔本作殺，音同。又音素葛反。

踶跂 踶直氏反。崔音緹。跂丘氏反。一音吕氏反。崔音枝。

澶漫 澶本又作儃，徒旦反。又吐旦反。向崔本作但，音燀。

相踶 大計反。又徒兮反。又徒祁反。

胠篋第十

本篇主義在反對世俗之所謂知，蓋知有真知，有俗知。知恬交養，見繕性篇。定能生慧，此真知也。私知小慧，害性傷生，此俗知也。此兩者決非同物，故本篇特為指明世俗之所謂知，以別於真知。養生主謂人生有涯，求知則殆，似乎莊子對於知識一概反對者。此篇雖出學莊者之詞，然實可見莊子對知識之本意也。

本篇略分兩層，第一層以聖知之法不足以治天下，轉為大盜所利用。此層仍不外老子所謂國之利器不可以示人義。第二層謂好知無道，天下大亂。

王夫之謂：此篇不過引申老子聖人不死大盜不止之說而鑿之言之，蓋學莊者憤激之詞。然詞雖憤激而意實痛切，夫聖人分別善惡本以淑世，而為惡者即能幷善之名而竊之，則世俗之所謂善者不足為善，惡者不足為惡審矣。何其沈痛而徹底也。讀者其勿以為外篇而忽之。

音：

胠 李起居反。史記作擔。徐起法反。一音虛之反。　緘 古咸反。　滕 向本作幐，同徒登反。

扃 古熒反。　鐍 古穴反。　鄉 本又作向，亦作曏，同許亮反。　積 如字。李子賜反。　耨 乃豆反。

闔 戶臘反。　殺齊君 殺音弒。　胣 本又作肔，徐勑紙反。郭詩氏反。崔讀若拖，或作施字。

靡 密池反。　掊 普口反。　攦 郭呂係反。又力結反。徐所綺反。　鑠 失灼反。　爚 徐音藥。

驪畜氏 徐力池反。李音犂。　贏 音盈。　趣 七于反。　笱 音鉤。　削格 削七妙反

百。格古反。　罝罘 罝子斜反。罘本又作罦，音浮。　爍 失約反。　惴耎 惴本作蝡，又作喘，川

兗反，音揣。耎耳轉反。　啍啍 李之閏反。又之純反。郭音惇。徐許彭反。又許剛反。向本作啍，音亨。

在宥第十一

在、存也；宥、寬也。存而不論，寬而不迫，天地篇云：行不崖異之謂寬。任天下之自治，使民相安於渾沌，此第一段之旨也。然不出老子無為之義。炊累舊注謂，如萬物層累而炊熟之，其說似非。愚意炊借為吹，萬物炊累，猶言吹萬不同耳。

第二段言治天下不可攖人心，其中釋人心變幻無常，甚多精語。然亦專就末世人心險惡者言之，非平世人心之常態，故語亦多激。

第三段黃帝問廣成子，意謂治身重於治天下，此乃申述老子貴身、愛身乃可寄託天下之義。文多比況，殊非精至之論。形容道體惝恍恣肆而無實指，此緣前人文字拙澀，不能達意，況此類深邃之理尤難明示，故不得已用譬詞耳。讀者勿可拘也。此段上言長生，下言千二百歲，殆後世方之流所竄入，非莊本文。

第四段雲將問鴻濛，申述無為自化之理，無甚深義。

第五段各家學說彼此不同，而皆自謂出乎眾，因眾以寧所聞，不如眾技眾矣十二字間在句中，義頗難解，恐有譌脫也。遂欲以此治人之國以自試其學，則國之受害者多矣。近世之多數納粹黨人，正坐此病，此世之所以大亂也。此段感慨深遠，千載而下讀之猶覺戚然也。

第六段論宇宙之原始，謂有始於無，有者萬物之粗迹，無者天地之本始，人之形體亦與萬物大同，同出於無，故應以無己為貴。此足釋內篇至人無己、萬物為一之理。逍遙遊曰：至人無己。齊物論曰：天地與我並生，萬物與我為一。前段以出衆為心者，非真能出衆者也。惟九洲六合，獨往獨來，如是獨有之人，乃真能出衆，是之謂至貴。

第七段列舉物等十項，以明君無為，臣有為之義。宣義謂此段意膚文雜，不似莊子之筆，或後人續貂耳。實則外雜各篇，多屬莊徒所為，固不獨本段為然也。此段雖淺近，然與無為無不為之旨固亦無悖也。內篇皆持一元之說，此獨分道為二，曰天道，曰人道，雖道無不在，而人為之事，豈可以之與天道並稱，是理雖無硋，而語不圓融，其非莊子自著審已。

眉注

一說宥借為右，助也。人君之於天下，特左右之而已，不加用心於其閒也。其說亦通。

一說宥與囿同，謂範圍之也。亦通。

音：

瘁瘁　在季反。　說明邪　說音悅，下同。　臠卷　臠力轉反。崔本作欒。卷卷勉反。徐居阮反。

愴囊　愴音倉，崔本作戕囊。　乃齊戒　齊本又作齋，同側皆反。　莅　音利，又音類。

因殺　按章太炎謂，因殺猶噍殺，亦即憔悴，舊讀如字誤。　僨驕　僨向粉反。　施及　以智反。

釿 音斤。本亦作斤。 繩墨殺焉 並如字。 脊脊 音籍，在亦反。 大山 音泰，亦如字。

嵁岩 嵁苦岩反。一音苦咸反。又苦嚴反。岩音巖，語銜反。一音喦，語咸反。 桁 戶剛反。 椄槢

椄李如字，向徐音妾。郭憩椄反。槢郭李音習。向徐徒燮反。 嚆矢 許交反，本亦作嚆。崔本作蒿。

蹷 其月反。又音欣。 緍 武巾反。郭音泯。 贄然 之二反。又猪立反。又魚列反。 正蟲

按孫詒讓謂，正讀為征貞。 涬溟 涬戶頂反。又音幸。溟亡頂反。 僥倖 僥古堯反。徐古了反。字或

作儌。音幸。 倖 聲之於嚮 嚮許亮反。本又作響。 處子無嚮，按嚮同鄉，同向。

撓撓 而小反。 匿 按讀為慝。

天地第十二

第一段申述老子我好靜而民自正之義，君無為，尚德義；行於萬物者道也。宣云：道應作義是也。臣有為，尚事技。與前篇末段義近。宣謂前篇末段為後人續貂，則此篇亦必非莊子自作也。

第二段列舉天德等十項，以明無為無不為之義。刳心謂究心，言道甚重要，學者不可不究心。舊說以謂洗去有心之累，似非。天德仁大，寬富無為之事也；紀力備完，有為之事也。事心猶言心所從事，俞謂猶立心，似非。此段之末，兼明忘物忘己，萬物齊同之理。

第三段論道體，道體無聲無形，非人所能知，而為形聲所依託。此似近人所指宇宙本原之理，有此動力而後宇宙萬物乃能由之發生，然非人有以感之，則形聲亦無以顯，是道與萬物果孰為因果哉。讀者不必驚其神異，亦不必疑其虛幻也。恥通於事，恥蓋心之誤。

第四段謂無心者乃能得道之真，苟有作為，不能見道。玄珠喻道，知謂智，離朱謂明，喫詬謂力，象罔喻無心。

第五段謂有為肇亂，不足以治天下。配天謂合於自然，衆父喻臣，衆父父喻君，謂齧缺道卑，僅可為臣以供役使，不足端拱以南面為君也。父各私其子，祖則概視諸孫，無有差別，以喻配天之君公。韓信將兵，高帝將將，亦謂才有大小也。然雖不足以臨南面，而北面則因优為矣。又稱其為北面禍，似誤也。

第六段壽富多男不足為累，見因物付物之妙用，世人羨三祝而欲之，堯知其為患而辭之，其見固高於世人矣，然欲之與辭皆緣於有我，故封人告之以退己也，退己猶言無己，人能忘我，尚何患之有。

第七段證有為不及無為，弊起於堯而釁成於禹，況後世之無聖乎。

第八段論宇宙萬物自無而有之義。有初之妙本無名也，名之曰一，一之所起謂氣也。萬物皆由一氣所化生，此為中土哲人公認之理，故莊子亦襲用之。然有氣之先必有一並氣而無之時代，氣尚無有，何有於名，故曰有無無、有無名，及其既有氣矣，然尚渾然一體，未有各別之形也，故曰有一而未形，及乎形色既別，萬類森羅，皆各有所得，是謂之德。德者得也。得動當其字，德名字。未形，固無別也。所得既異，而貴賤高下分焉。或得之而為日星則麗乎天，或得之而為山川則鎮乎地，或得之而為人則靈秀，或得之而為物則動植，或為聖賢，或為下愚，或為王公，或為氓隸，此孰使之然哉，何其不克自為主也。是謂之命由是而造化流行，肇生萬物，有形有性而莫知其所以然，然而反觀於初，亦不過各有所得，同屬一氣之流轉，惟知道者明乎此理，然後能與天地並生，萬物一體也，是謂玄德同乎大順。此段所論大概如此，文字簡奧難以驟了，則緣古人遣詞造句未能如後世之操縱自如，故不得不用譬況之詞，讀者不察，妄加傅會，古人之義，遂愈晦澀矣。今之論哲理者，立名定義皆有明澈之界域，是以不虞人之誤解，是今人文字勝於古也。莊子此段宇宙論，亦是古代儒、道、陰陽各家所同，非為獨造。近人某君乃謂此為莊子中至要之篇，誤也。合喙鳴、喙鳴合，乃與天地為合，兩句恐有脫誤，未能強解。

第九段論堅白兩可之詞，非聖人所重，聖人應究心於道。

第十段論治天下在教民俗，若性之自為，不在煩擾多事。此段所說成教易俗，進其獨志，與服恭儉無阿私，其差甚微，而乃甲此乙彼者，其意蓋謂一有為、一無為耳。然詞既簡質，不能明達，遂令人難了，且搖蕩民心，不甚近於有為哉。又下文兄弟之喻，造語尤拙，此類皆不必強為之說。

第十一段抱甕丈人不用桔槔，以為有機心不知真，混沌氏因時任物，與世同波，機之與心，早兩忘矣。此孔子之見所以高於丈人也。郭云此宋榮子之徒，未足為全德，子貢之迷沒於此，人亦若列子之醉心於季咸也。

第十二段論聖治、德人、神人，總是發明無為之旨。

第十三段論天下均治之為願，不以亂而後治為貴。

第十四段論人皆媚世而大道不明。（媚世即今人所謂迎合世界潮流，然潮流所趨不必正，當先識之士大聲糾正，轉為羣衆所惡，此所謂大惑大愚也。孔子困窮，耶穌見殺，皆緣於救世之惑，而莊子所謂又一惑也。然不有孔、耶，世何由醒，哀已。）

第十五段論仁義失性，與馬蹄篇略同。

眉注：

至樂篇云：察其始而本無生，非徒無生也而本無形，非徒無形也而本無氣，雜乎芒芴之間，變而有氣，氣變而有形，形變而有生。則知此篇所謂一者，正相當至樂篇之所謂氣。又知北遊篇第一段亦明此理，其文尤顯露也。

音：

技兼於事（按吳摯父讀兼為謙，下同。）　繆乎（李良由反。徐力蕭反。廣韻下巧反，云清也。）

而南望還歸 還音旋。 喫詬 上口懈反。下口豆反。 王倪 徐五兮反。 被衣 被音披。

坂手 五急反。又五合反。 給數 音朔。 火馳 按孫詒讓讀火為八。 物絯 徐戶隔反。廣雅公才反。

而未始有恆 按馬叙倫讀恆為桓。 堯觀乎華 華胡化反。又胡花反。

嘻 音熙。 退已 按音紀。 將閭葂 亦作莬，音免。又音晚。郭音問。 局局然 其玉反。馬叙倫云借為喙。

車軼 音轍。 虩虩然 許逆反。又生責反。 汒若 或作茫，武剛反。郭武蕩反，下同。

言其風也 按俞樾云：風讀為凡。 溟涬 上七頂反。下戶頂反。

搰搰然 苦骨反。徐李苦滑反。郭忽滑反。 卬 音仰，本又作仰。 數如 所角反。 瞞然 武版反。又亡安反。按奚侗讀為懣。

於于 垂如字，或作吟吁，音同。按馬其昶謂，讀若華誣。

卑陬 陬走侯反。徐側留反。按章太炎讀為頻蹙。 謷 五羔反。 儻 勑蕩反。郭吐黨反。

假脩 按假讀為遐，一如字讀。 諄芒 諄郭之倫反。又述倫反。 苑風 苑本亦作宛，於阮反。

怊乎 音超。徐又遙反。郭音條。 髢 大細反。又吐帝反。郭音毛。 皇荂 況于反。又橅于反。本又作華，音花。司馬本作里華。

嗑然 許甲反。本又作嗑，為遡反。司馬本作榼。 厲之人 音賴

字。又如

囷㥶囷如字，本或作悃，音同。㥶子公反。郭音俊。又秦奉反。柴其內楼柴

讀為砦。塞寨，下同。鷸尸必反。徐音述，本又作鶐。柵楚革反。郭音策。外重直龍反。

繳音灼。郭古弔反。睆環版反。又户鰥反。檻户覽反。

天道第十三

歐陽修謂：此篇是學莊子者。劉須溪謂：才看一二語，便不類前篇。此篇盖即在宥篇末章之旨而加詳者。宣茂公謂：在宥末章已非莊子作，則此篇更無論已。

第一段發明虛靜恬淡，寂漠無為之妙用。此義不出老子範圍，非莊子精義所寄。姚云：素王十二經是後人語。且本段引莊子曰六句，本見大宗師，乃許由語，此乃以為莊子語，是所引乃莊子書，則此段出後人手審已。

第二段申述君無為、臣有為之理。老莊所謂無為而無不為，混然一體，不見迹象。此處乃以有無分屬君臣，義成兩橛，似失老莊之義，其出諸學莊者所為審矣。他篇亦多似此之言，特此段詞尤淺露，故歐公謂全不似莊子也。

第三段承上段言君守道無為，臣守法有為。禮法、度數、形名、比詳，皆臣所守，故不可不有為。然非其要，蓋必有運之動之者，此君所守之道也。此段所述文詞詳實，足為老子之注。中有聖人取象天尊地卑一節，明襲易經，此必莊徒所為，非莊本有。

第四段設為堯舜問答，以明天王無為自然而治。文亦淺率，故歐公謂尚未得為似。

第五段孔子繙經，以見繁文無益。老聃辨仁義，以見仁義失性，不如放德循道，因應自然。兼愛乃墨子宗旨，乃出於孔子之口，其為寓言顯然。

第六段上明重實輕名，不變恒常；下明馳騖驕樂，違於自然。本段之末，似有缺佚。

第七段贊至人懷道守真，定心天下不足為累。

第八段書為古人之糟魄，不能傳古人之道，故不足貴，神而明之，存乎其人。語言文字，皆所以達意。然在上古體製未備，運用未周，每不能充分表達其意，故讀先秦舊籍，每感其難解，非其義特深，亦緣文詞之拙也。古人亦自覺之，故有此段以致慨。近世諸書亦殆免此弊，不可泥於舊說而輕視典籍也。形色名聲，人之假相也，由假相以求其人之真性，殆難以盡知之矣，以喻書語不可以傳意。此亦是解釋老子知者不言，言者不知之理耳。

眉注：

然欲明道者，亦非強人以從己也，迷自思復，惡自思善，我無為而天下自化矣。

音：

辯雖彫萬物 按章太炎讀彫為周。 衰絰 衰音催。絰田結反。 隆殺 殺所界反。下同。

大謾 大音泰。謾末旦反。 意幾乎 意於其反。司馬云不平聲也，下同。幾音機。 放德 放方往反。

偈偈 居謁反。又巨謁反。 揭 其謁反。又音傑。 重趼 古顯反。 顯然 顯本作頯，去軌反，司馬本作[illegible]。 奮棅 音柄。

天運第十四

第一段巫咸發明順天而治之理。前以天象發問，殆勤襲屈原天問，而無其恢皇，答者亦應就天象言，如柳子厚天對之比，而巫咸所答但言治成德備，舍天而言人，蓋當時人類智識尚不足以解釋此類問題，惟有存而不論，不為強說，所謂知止於其所不知也。倘遇黃繚、惠施之儔，必將不預而應，不慮而對，巫咸所不為也。姑舉大禹、箕子之時，以塗民耳目而取神器，順天而治，此之謂也。

第二段明至仁無親，無親而無不親，則并仁而忘之矣。

第三段以樂喻道。古人對於音樂感受最深，驚其神奇，而莫測其由，故聖王兼重禮樂，以化導民，觀於近未開諸族酷嗜樂舞，則上世尊樂之盛況可推知矣。本段極言音樂之效，亦由是也。其他經子、類此之文尚多，讀者不察，或信其真，或笑其誣，皆未明古今之異也。

第四段古今異勢，三皇五帝之治不可行於後世。芻狗亦見老子，王注以為二物。此則指祭神之品，舊注所謂結草為狗，巫祝用之者也。然古今儀制、及世俗所行，未聞以草狗祭祠者，則王弼不用莊說，未為無見，識者詳之。

第五段仁義為古人所暫假以為用，不可拘執，與前段義畧同。本段至采真之遊為止，從姚說。

第六段患得患失，情性已困，總緣不能忘物也。本段至戮民止，亦從姚說。

第七段至人乃能用世法，苟其心不能與變化相循，世法轉為大害。怨恩至天門弗開一段，王先謙本合五六七段為一，然其間意義實不相承，故從姚說。

第八段仁義亂心，不如無為相忘。放風而動，風借為凡，謂依傍大凡而行，若負建鼓，負建兩義相犯，當衍其一。

第九段黃帝堯舜之治，世降而益亂，皆因其有為。民孕婦十月生子，民字涉上句而衍。殺盜非殺人句，見墨子大取，舊注以人字屬下讀誤。而今乎婦女，舊注謂女皆早嫁，又或謂丈夫而有婦女之行，說皆誤。婦應作歸，女讀為汝，屬下讀，言世道之壞，極於今日也。

第十段言陳迹不足貴，應循造化之自然。風讀若風馬牛之風，謂鳥獸孳尾，動物孳生，皆由自然，以證造化之妙，無待人力也。然眸子相視，鳴聲應和，傳沫視蟲，則古人觀察之誤，當時有此傳說，姑舉為證，勿可拘執。有弟而兄啼，舊注謂失父母之愛，固非近人，或謂生物進化，新種起而舊種衰，天道後起者勝，此說勝於舊注。然本文既簡，意又極晦，未知果如此否？舊書此類祇宜暫置勿論也。

注：此段文既簡質，所舉生物風化亦不合實情，而前人以其難解，遂說為非莊子不能為，又以為意深語妙，皆不足信也。

音：

巫咸袑：按宣茂公讀為袑。弁焉：必領反，下同。有焱氏：焱必遙反。本亦作炎。

相：側加反。齕：音紇。慊：苦牒反。朱駿聲讀為愜。噆：子盍反。郭子合反。憯：七感反。

濡：如主反。又如瑜反。沫：音末。嗋：許劫反。訒：按說文訒頓也，而振切。

呴：況于反。字亦作煦，按朱駿聲讀為敂，說文敂吹也，音同。蠣：敕邁反。又音例。本亦作厲。郭音賴。又敕界反。

蠆：許謁反。或敕邁反。或云依字上當作蠆，下當作蠍。蹙蹙：子六反。奸：音干。

白鶂五歷反。

刻意第十五

此篇言世人各有所偏，真人獨能養神去知與故循天之理，故無諸人之弊而有其效。本篇與下繕性、又駢拇、馬蹄、胠篋皆一意，到底與後世論說文絕相似，莊子他篇皆雜舉事類、連綴爲文，知此出後人增益矣。

音：

所好也呼報反，下同。不罷。音皮，

繕性第十六（人生有涯而知無涯，逐物無已，做精疲神，於性命曾無所得，此所謂以知窮德也。）

此篇約分三段。第一段自繕性於俗，至莫之為而常自然。發明知恬交養，無為自然之妙用。（知恬交養，猶佛家所謂般若波羅密，雖有智慧，無所用之，謂不以私智小慧惑世誣民也，知莊子固非盲然反對知識者。）第二段自逮德下衰，至而復其初，發明去性從心，（宣云：全天性，用人心。）附文益博之害。第三段自由是觀之，至謂之倒置之民。發明隱者不自隱，由於時命大謬，得志者非謂軒冕，在於無憂。

眉注：

世之真知，豈待師哉，惟邪說詭詞人所不信，則必塗澤張皇以簧鼓天下之耳目，此所謂以辯飾知也。故縣高衡使人不可及，謬為玄妙使人不可解，然後責人聽從，則人幾何而不困也，此所謂以知窮天下也。

音ㄔ

㵢古堯反。本亦作澆。

滈本亦作䤩，音純。

不可圍魚呂切。本又作禦。

倒置按劉中叔讀置為植。

秋水第十七

第一段設為河伯、海若相問答，申述齊物論之義，詞較顯露，而圓融周密遜之。第二段設為夔蚿等互憐，以明任天自然之理。中無以人滅天，予無如矣。舊注謂簡易無如我者，是自矜其一足也，非是其意，蓋謂一足跉踔，無可如何，自憾之詞也。第三段子畏於匡，安命不憂，申無以故滅命。第四段舉公孫龍證小知不及大知，大知在知是非之言，而非泯然不辨是非也。第五段以神龜喻生之足貴。第六段惠子搜莊，亦小知不及大知之意，人之度量高下不可以道里計。世有鄙夫，富貴驕人，皆腐鼠之類也。然惠莊所見雖各不同，而運斤斲堊，互以為質，何至以奪位見疑，故姚鼐謂記此語者莊徒之陋，信然。第七段由濠上而推濠下而知魚樂，見推理之用，墨經謂之推，因明謂之比量，論理家謂之演繹。語雖雋妙，非為精義，而某君謂其名學之理頗深，皮相之談也。

眉注：

第一段中亦有害理之語，似非出諸莊子，當分別觀之。混同是非然否，歸於趣操，而不知舉以明之，理與齊物論不同，有似於慎到，此蓋後學附益而失之者。

音：

兩涘。音俟　罍空 力罪反。崔音壘。李力對反。空音孔。按罍侗讀若壘坎。　稊米 徒兮反。

大倉。音泰　證嚮 許亮反。又虛丈反。　掇而不跂 掇專劣反。跂如字，一本作企。

至細之倪 五厓反。徐音詣。郭五米反，下同。　垺 李普回反。徐音孚。郭芳尤反。崔音裒。

辟異 辟四亦反。　瞋目 尺眞反。向處辰反。崔音眩，又師慎反。本或作瞋。　蹢躅 蹢丈益反。

錄。又持革反。躅丈反。又音濁。　跉踔 跉勑甚反。郭菟減反。一音初稟反。踔勑角反。　踦 子六

反。又七六反。　埳井 音坎，郭音陷。　還視。音旋　虷。音寒　商蚷，音渠　郭

音巨。　跐音此。郭時紫反。又側買反。　奭音釋。按馬叙倫讀為赫。　呿起據反。李音祛。

又巨款反。按王筠讀為乙。　鵷鶵上於表反。下仕俱反。　鯈，徐音條，說文直留反，李音由，一音篠。

至樂第十八

第一段論至樂活身在於無為，所以能無為者，則在勘破生死之理，蓋生老病死愛憎得失，固是為苦而為喜，迨名亦不足以活身，不如恬靜無為之為樂。前半論苦，似襲佛說，後半更明，引老子至樂無樂，至譽無譽之語，其為莊徒所作無疑，而無從出乎。謂無無為從芒芴出也，而無有象乎，謂無為以芴芒為象也，舊注似皆未達。第二段莊子妻死。第三段滑介叔生柳。第四段莊子見空髑髏，皆明人生由於氣化，死復歸於氣。故既死不足哀，將死不足惡，復生不足貪，申述齊物論死生一致之理。人死為氣，不復有生人之累，然亦何至樂過於王，殆乱世之民憔悴於水深火热之中，怨憤之極，遂生祈死之心，不覺其言之過激，各成凍餒，乱世之患。皆必莊徒所記，非莊子本文也。第五段顏淵東之齊，證小知不及大知。此段文字多襲諸內篇，顏回之齋，畧本人間世篇顏回請行，而此段不及其含義之豐，海鳥之喻，亦本齊物論魚鳥麋鹿之喻。第六段列子見百歲髑髏，明生死一致，與第四段文義畧同。文簡意晦，殆譌脫。有第七段種有幾，種謂物類，幾即下文出機入機之機，其義為化生之動力（易曰幾者動之微），與佛家之輪迴畧近，輪迴者藏識流轉，如瀑布之無一息停，莊子列舉動植互化，莫知其極，是雖化而有不化者在，以證生死一致之理。惟古人觀察不精，證以近世生物家言，無一合者，特當時或傳以為無誤，除所舉諸例之外，又如雀入大水化為蛤，見於禮記。黿化為鶉，見於墨、列、淮南。果蓏、螟蛉，見於詩經及本書天運篇，知此類荒誕之詞，古代或傳也。故莊子舉以為例，不必詭其精，亦不必笑其誣，前人一一為之疏通證明，鑿已。近人或謂莊子此段即達爾文之進化論，世人不察，以為確解，尤可笑也。方以智謂，程生馬，馬生人，世間自有此事，不可以耳目所限而斷之，且信古人誣誕之詞，不敢衡之以理，讀書死於句下，此之謂也。

眉注：

陸懋德謂，幾即造化之動機，與余意略同。又謂此即近世之進化論則誤。

音：

惛惛音昏，又音门。　蹲循蹲七旬反。郭音存。又趣允反。循音旬，又音脣。　誙誙戶耕反。徐苦耕反。又胡挺反。　芒乎芴乎芒李音荒。又呼晃反。芴音忽，下同。　噭噭古弔反。又古竅反。　髐苦堯反。徐又許堯反。李呼交反。　撽苦弔反。古的反。又　深矉蹙頞矉音頻。蹙子六反。頞於葛反。　褚豬許反。　魯侯御御音許。　食之鰌鰷食音嗣。鰷音條。又音攸。李徒由反。又音由。　譊譊乃交反。　攓居輦反。徐紀偃反。又起虔反。或音厥。

㡭此古絕字。徐音絕，又讀音繼，司馬本作繼。　黃軦音況，徐李休往反。　腐蠸音權。郭音歡。

不箰息尹反。

達生第十九

第一段言養形多累，不如棄事，事各本作世、誤也。陸懋德謂，棄世為棄事之誤，其說是也。莊子雖不求長生，亦不求速死，何至欲棄世邪。蓋欲免為形者莫如棄事，事謂人間繁賾之事，遺棄人事，自可無累。又下文謂事奚足棄，而生奚足遺，棄事則形不勞正，作棄事可為確證。夫人生而有形，即不能無資於衣食，則不免勞累，不如棄事，棄事者簡業。斷緣息心屏慮，與天為偶，還於一氣之初，合則成體，謂合氣而成形也。散則成始，謂散體而復為氣也。氣為形之始，故曰散則成始。是更生也。雖然成體固多累，成始亦何足羨。養生主謂安時處順，哀樂不入，亦何至祈死而棄世邪。且散於此者將成於彼，齊物論所謂方死方生，而佛家所謂輪迴也。推移變易，終不能免生人之累，故佛家以求免輪迴之苦為尚。則此段亦是乱世厭生者之主張，非莊子本旨也。

第二段言全於天者物莫能傷，申上段與天為一之理。人之未生，純氣而已，故曰無形。及其既死，仍純氣而已，故曰無化。知人為純氣，無以逐於萬物，其生不能卻，其死不能止，守此純氣，尚何驚懼還惜之有，故物莫能傷也。

第三段痀僂承蜩，明用志不分，乃凝於神。凝應作擬，列子黃帝篇作疑，疑初文，擬、凝皆後起。

第四段津人操舟，喻外重者內拙。水我兩忘，故無所矜。覆卻萬方，列子黃帝篇萬下有物字，方字屬下讀，誤也。覆卻謂舟車萬物何以能覆卻手。萬方猶言萬態，謂舟車雖繁，不動其心。

以上二段相配，皆以證開天者德生，所謂天守全而神無隙者也。

第五段牧羊鞭後，喻養生當謹持其終，不可有一毫之疏忽。豹養內而忽外，毅養外而忽內，若羊行不齊，有滯留者，為全羣之累，宜加鞭策。

第六段人智多淺，明於顯禍，忽於幽隱，宜如槁木之無心，立於動靜之中。柴借為砦，寨字義為柵塞之也。宣茂公以槁木釋柴字，近於望文生義，然柵塞義亦難通，姑用宣說。

第七段祝宗人說，喻明於小而暗於大，此與前段意近，皆言養生之理。一說合五、六、七為一段亦通。

第八段桓公見鬼，言病由心生，鬼不能祟。人皆以見鬼為不祥，故桓公疑懼而生病，然此純由心理所致，非鬼真能傷人也。故皇子列舉羣鬼以見鬼不足異，又言見委蛇者霸，則鬼且足為人福，寬解其心而病已也。此段證聞人者賊生，所謂生死驚懼入其胸中者也。

第九段紀渻子養鬭雞，證忘我忘物，是為德全。木雞忘我忘敵，是忘勝負矣，乃能獨勝矣。此與上互注對照，為守氣全神取影。

第十段呂梁丈人任性安命，物我兩忘，故能利涉大川。不知所以然而然，故外無所矜。

第十一段梓慶削鐻，言順性則工巧若神，乘性則心勞益拙。

以上二段皆證開天德生，與上承蜩、操舟二段相配。

第十二段東野稷馬力，喻過耗則敗，無物不然。此段賊生。

第十三段工倕指與物化無所用心，喻物我兩忘之效。此段德生。

第十四段孫休自說言炫己招禍，不如忘肝遺耳，不恃不宰不恃謂不恃己能，不宰謂不自居功。，乃為善養生。蓋莊子寄慨其言過高，恐致家驚。

音二

遻音悟。郭音鄂。　慴之涉反。李郭音習。　忮之豉反。郭李音支。　痀僂痀郭於禹反。徐居具反。又其禹反。僂郭音縷，李徐良付反。　蜩音條。　掇丁活反。　厥本或作橛，同。其月反。　乃疑於神按疑本作凝，今從宋本作疑，讀為凝。　瓦注之樹反，下同。　殙武典反。又音昏，又音门。　祝腎上之六反。下市軫反。字又作緊，音同。本或作賢，下同。　拔簨拔蒲末反。徐甫末反。簨似歲反。徐以醉反。郭予稅反。李尋恚反。　單豹音善。　牢筴初革反。腞楯腞直轉反。又敕轉反。楯食準反。徐敕荀反。李敕準反。按王念孫讀為輇輴。聚僂力主反。

誒詒誒於代反。郭音熙。李呼該反。一音哀。詒吐代反。郭音怡。李音臺。按馬敘倫讀為譺佁。

忿滀拂粉反。李房粉反。滀敕六反。按奚侗讀為坌慉。鮭蠪鮭本亦作蛙、戶媧反。徐胡佳反。蠪音聾、又音龍。

泆陽音逸。峷本又作莘、所巾反。又音臻。[illegible]敕引反。徐敕一反。又敕私反。

紀渻子所景反。所幸反。徐縣水音玄。流沫音末。與齊俱入按齊舊讀如字。馬敘倫讀為漩。

與汩俱出汩胡忽反。鐻音據。蓋規矩按蓋如字、又奚侗讀為盍。鷄音奚鴳音晏

山木第二十

第一段以木與雁為喻，證明材不材之間仍未能免累，權衡材不材之間難得至當，則何以免累，故知空言中庸者不為至道，必得其環樞乃可以應無窮也。應乘道德而浮游，蓋萬物之情，人倫之傳，合成離毀皆不可必，故材與不材皆有所累，能知物始，萬物之祖。人我兩忘，物物而不物於物。則雖累不累矣。全真養性，遊於物始，則外物雖不可必，亦不以累其心矣。

第二段市南宜僚勸魯君去國以遠累。此蓋戰國末世亡國亂家相屬，故以有國為累，與近世無政府主義又自不同。舊說以胥疏為須遠，似為望文生訓，胥疏連語，猶言憔悴耳。

第三段虛船觸舟，言虛己遊世之妙用。舊以此與上文為一段，然虛己與去國義不相屬，今別為一段。

第四段賦斂為鐘，見虛心任物之用。治理羣衆，當因任自然，不逆民心，收效自宏，苟師心自用，勉強壓抑，羣情怫鬱，轉激事變，此道家所以貴無為也。一云間無敵設也，一謂事理，亦即所謂道。設謂設施，無敢設施，謂不敢有心作為也。雕琢復朴，以喻精誠。怠疑即佁癡無知之皃。從其彊梁，不服者暫時縱舍之也。隨其曲傅屈附者，因任而不迫也。舊註似皆失之。

第五段大公任戒孔子削迹捐勢以辟禍，此即老子謙退清净不敢為先之旨，乱世聲名轉足為累，故以為戒。是故行列不斥而外，人卒不得為害。舊注至斥字為句，卒訓終，皆誤，此應至外字為句，言為衆鳥所容，不斥之行列之外也。莊子中多有用人卒字者，舊注隨文為訓，皆不甚愜，其實卒猶士也，人士猶言民衆耳。

第六段發明真意相感，何求於外物之理。棄璧負子亦乱世之事，非影親其事者，不知此言之痛。

第七段遭時不淑，貧而非憊。明言昏上乱相，真乱世之詞哉。

第八段孔子告顔回四事，皆處乱世之道。無受天損者，順受其正則物不能害也。無受人益者，竊祿於乱世，利少而禍多也。無始非卒者，萬物禪代，日新不窮也。天與人一者，氣合而生，氣散而死，人與天皆氣耳，故聖人安然與氣偕逝，惡有以己與天抗者邪？故曰人與天一也。胡遠濬曰，晏然大常也，體逝日徂也，天之體固如此，聖人亦體之而已。此段文簡而義周，莊子中論宇宙人生諸問題畧具於此矣。

第九段螳螂捕蟬，逐於外利，忘身大害，亦亂世之大戒。不庭猶言不寧，兩字疊韻通轉。

第十段以逆旅二妾，喻人行賢應去自賢之行，忘我之妙用也。

本篇皆處亂世之方，與人間世篇相發明。

音：

上下之際。音云　侗乎吐功、動二反。　儻乎敕蕩反。　怠疑按讀為佁癡。

萃乎在醉反。按奚侗讀為芀。　意怠按馬叙倫讀為意忽。　翂翂翐翐翂音紛，翐音秩，徐音族。杼栗食汝反。又音序。桑雩音戶，本又作雩，音于。緳賢結反。又苦結反。

柘章庶反。枸音矩。猋氏必遙反。還目音旋。鷾鴯音意而。躩步

李驅碧反。徐九縛反。誶本又作訊，音信。不庭按王念孫讀為逞，下同。

田子方第二十一，韓愈曰：子夏之學，其後有田子方，子方之後流而為莊周，故周之書喜稱子方之為人。莊子所稱尚有庚桑楚、畏壘虛，豈皆莊子師耶？昌黎之說，未足為據也。

第一段真人清虛正己，物邪自消，言無為而德化。

第二段禮義不過，聖迹非性情之真，目擊道存，何容言說。

第三段申述存真日徂，不忘之忘，孔子明乎齊物坐忘之理，故能日新不已，無有所著也。生死有待者，生乎由氣，死乎由氣，生死皆有待於心也。生不能卻，死不能止，此人所無奈何，惟有任心。日徂耳，則恒常言辯之迹，惡可執著之哉，此齊物之旨也。顏淵自謂能坐忘，孔子無為自化，亦能坐忘，故互相推服。舊注謂服為思存，似非。雖然甚忘者非木石之謂也，忘我忘物，一空諸有，而真君固我自在也，故曰雖忘而有不忘者存身，雖死而藏識流轉，故無可哀。心死則並此不忘者，亦失之矣，故大哀也。舊註誤。

第四段老聃論宇宙生物之理，見人與萬物皆一氣之所生，萬物無極，我亦與之為無極，則可以遊心道術矣。吾遊心於物之初，物之初謂氣也。言吾能體會萬物之生皆由於氣，則不可不復有所執著也。陰陽、天地、消息、盈虛一段，言宇宙萬物化生之理，然明明襲用易說，與莊子他文不類。然古代子家所持宇宙論，皆承用舊說，故其理亦多可通者。夫天下者萬物之所一也，天下應作天地，後文天地之大全亦作天地可證。

第五段因名責實，見真儒之難能。義甚淺陋，莊徒所益。

第六段以百里有虞見真常在我，於物自化。

第七段以畫史證內足者神閒而意定。

第八段以臧丈人喻無為而治，此文蓋糅合傳說、呂尚之事，詞意淺陋，且假夢欺眾，亦非至人之行。孔子循斯須之說，意甚含糊，殊不足釋顏淵之疑，其為莊徒所益審已。

第九段不射之射，喻有能不矜，是忘我之用。登山履危，喻心不內定，則為外物所乘，是不能忘我之故也。

第十段以孫叔敖事，證本真不变，忘懷得失，故無憂喜。

第十一段論存亡不在迹象，當注重真吾。戰國以來，兼併益盛，亡國乱家相屬，然亡者豈皆桀紂，存者豈皆湯武，仁不必存，暴不必亡，故以凡楚為喻，而寄深慨乱世之哀音也。

胡遠濬謂，此篇演老子常德之不離之旨。各段皆述全神守真，一義貫注，胡氏所說，理或然也。

音：

瞠乎。敕庚反。又尹郎反。一音杜哽反。　慹乃牒反。又丁立反。按今讀為熱，音同。　汋音灼。又上若反。李以略反。　醯許西反。　受揖而立按馬敘倫讀揖為牒，讀立為位。　舐本或作舓，食紙反。　儃儃吐袒反。徐音但。　礴傍各反。數各反。　徐臝力果反。　䫇而占反。郭李而廉反。又而銜反。　斞斛音臾。　眴音荀。　栩栩況甫反。

知北遊第二十二

第一段述道不可知，及宇宙之原，萬物之理，本為人所不知，故古今中外哲人所論皆假說，故曰終不近也。所可知者僅萬物死生皆由一氣而已，此古代哲人之宇宙論也。

第二段天地不言萬物成理，皆本於自然，聖人法之，無為而無不為。

第三段人當無知無心，若新出之犢，言虛己應世之妙用也。

第四段人稟天地之氣以生，本非我有，況有道乎，言無我無法也。人之形骸、知識，皆陰陽之氣所鼓怒，何得私為己有耶。

第五段、分四節，第一節老聃論道，道者宇宙自然之原理，為人知所不能知，而又不能外，故祇能言其崖略。掊擊而知，言舍棄聖知，乃能知道，所謂為道日損也。生者喑醷物也，言萬物之生，猶之釀酒，喑今作窨，盛藏物也，醷猶釀也，醞黍釀之，自然成酒。天地氤氳，萬物化生，亦自然也，故以釀酒為喻。舊注以喑醷為聚氣之皃，似非其義。第二節人之倫類繁淆，雖不似果蓏之有理，而聖人亦不能不有以應之。此論道德帝王之源起，起於不得已也。人倫雖難所以相齒，所字疑衍，言人類不齊，難以相齒序也。第三節人命短促，循環生死，殊可悲哀，以能解弢隳袠之為貴。弢袠喻生死之束縛，不生不死乃可謂之大歸。此文似襲佛說，解脫輪廻，入於涅槃之義。第四節言生死之理難明，不如不論。不形謂氣，形謂身，不形之形謂由氣而成身，形之不形謂由身化氣，此古代所公認為生死之理也。然其說模糊，影響不足以解決生死之理，不如置之於不論不議，即未知生焉知死之意，舊注多誤。

第六段、分三節，第一節謂道無所不在。天地萬物皆一氣所化，雖屎溺亦在氣化之中，故曰道在屎溺也。固不足質，質詰問也。道本無所不在，此何足質問邪。正獲之問於監市，履狶也，每下愈況，獲者臧獲，古代以名奴監市，識察市井之卒，若今警察，獲與監市皆下流小人，其所言論問答，不外履之與狶，豈有至言高論況甚也，謂愈說而愈卑耳，喻東郭所問之陋耳，舊註謂践豕股脚，知其肥瘠，穿鑿可笑。

第二節言道周徧無窮。周徧咸假設三人名，下文云，相與游也。故第三節謂道即自然，無所消息。合而成道，即在物中，故曰與物無際；分而為物，各得道之一體，故曰有際，消息盈虛，皆由自然，雖道亦不能主之也。

第七段言道難知。體道者僅獲知其萬一，尚祇是論道之言，而非道之體，信乎道之難知也，誠其狂言而死者，知其難而不復敢論也。

第八段言道不可知，凡論道者皆非真知道者也。宇宙不可知，人生不可了，古今哲人所討論辯難者，皆設詞比況耳，道之真際，豈果如其所言哉。

第九段設為光曜與無有二人，以喻有無與無無，蓋道之本體非言說可達，故設詞以比況之，以見有從無出，更並無而無之也。

第十段明不用之用，與上段義相發明。

第十一段天地常存，無古無今，未有天地即有道，既有天地乃有物，則己又何在邪，故至人無己。時無終始，萬物一體。

第十二段發明聖人如鏡，不送不迎之義。外化而內不化，謂內有一害之操，而外能屈伸，與物推移，處物而不傷物，謂不強物從己，故物亦不能傷之矣。知有所止，能有所限，此為人所無奈何之事，而不能不於此範圍之內有所運用，則言非真言，為非真為，故至言去言，至為去為，齊知之者，強以不知為知，故所知轉淺也。

眉注：

此篇以討論道體為主，包含近人哲學中宇宙人生諸問題，而其解決則以自然無為為宗旨，此其大要也。

音：

弅 符云反。又音紛。又符紛反。 唉 哀在反。徐烏來反。李音熙。 惛然 音昏。又音泯。

疏瀹 音藥。 掊 普口反。方垢反。 徐 窅然 烏了反。 恂達 音荀。 喑醷 喑音

薈，郭音閤，李音飲。一音於感反。醷於界反。郭於感反。李音意。一音他感反。 弢 救反。刀 袠 陳筆

反。　宛乎　於既反。　稊稗　稗蒲賣反。　瓦甓　步歷反。　屎溺　屎尸旨反。舊詩旨反。
本或作矢。溺乃弔反。　狶　虛豈反。　馮閎　馮皮冰反。又普耕反。又步耕反。閎音宏。　衰殺
色界反。徐所例反。下同。　婀荷甘　婀於河反。荷音河，或作苛。荷音　隱几　於靳反。下同。
闔戶　戶臘反。　瞑　音眠。　奓戶　音奢。徐都嫁反。又處夜反。　嚗然　音剝。又孚邈反。
又孚貌反。　慢訑　慢武半反。徐無見反。郭如字。訑徒旦反。徐徒見反。郭音但。　弇堈　弇音奄。
堈音剛。　卬　音仰。　捶鉤　郭丁果反。徐之累反。李之睡反。

莊子雜篇章旨

庚桑楚第二十三

第一段上明無為之用，下明衛生之經，蓋至治之世，民無能名，耕田鑿井，不識不知，久已忘帝力之宏偉矣。舉賢任知，汲汲有為，而後羣趨歸往，仰為聖王，則大乱之本也。不知治天下之本在於養生，故下發明衛生之經，外韄內韄，放道而行，而極之於能兒子，道家之精蘊畧盡於此，孰謂雜篇盡出淺人之妄益哉。王夫之謂雜篇多微至之語，誠哉是言也。

第二段言器宇泰定之效。

第三段言不可強求其不能知。

第四段言將形生心者，則萬物雖至不足嬰心，次復明靈臺有持之理，遇物而有知心之能也，知而能任，持心之力也，然心所任持，深似而不可知，果何物哉。且持之過堅，轉成妄执，故曰不可持也。思慮動作，莫不依知而發，如是不當則成惑，不舍則成業，展轉更迭而不已，故曰每更為失，此心知之現象也。

第五段明人誅鬼、責陰陽之禍，皆心所使，此心知之作用也。

第六段自以為備，則不能虛心待物，失心知之作用矣。備謂自足。

第七段以出入喻生死，以明有出於無，而無亦無次，明移是之理。移是猶言輪廻，移易也，是此也，生死變易，彼是無常，蟲臂鼠肝，惟天所命，故曰移是。是段末舉蜩與學鳩，以證其同，乃引逍遙遊義，則此篇亦出學莊之手矣。

第八段明道以相忘為至。

第二至第八，舊通為一，義或難貫，故析為七。

第九段明繆累之應去，以求虛明無為。

第十段述道德生性為知之次第，明其相反相順。此段言雖簡而義蘊實深。

第十一段明全人能任其自然。

第十二段明大道曠蕩，無不圈制，非人巧所能及。

第十三段能忘人即可為天人，以其近於自然也。次明有為者當緣於不得已。

第九段以下，舊通為一，今析為五。

音：

畫然。音獲 挈然。本又作契，同苦計反。又苦結反。 鞅。於丈反。 洒然。素殄反。又悉禮反。向蘇俱反。按朱駿聲讀為迺。杓郭音的。又匹么反。又音弔。還其體還音旋。

鯢鰌鯢五兮反。鰌音秋。為之制按郭慶藩讀制為析。蘖狐魚謁反。碭徒浪反。

苦如字。相軋烏黠反。向音乞。殺父音試，本又作弒，下同。穴阫阫普回反。向音裴。趎昌于反。向音疇。一音絲俱反。直俱反。又敕俱反。又處由反。徐洒濯音洗。

外韄音獲，又乙號反。又烏虢反。又音[illegible]，下同。內揵郭其輦反。徐其偃反。又音蹇，下同。

繆莫侯反。又音稠。放道放如字，向方往反。翛然音蕭。徐始六反。又音育。侗然大董反。又音慟。向敕動反。嘷户羔反。本又作號，音同。嗌音益，李厄。嗄於邁反。本又作嗄，徐音厄。

掜五禮反。向音藝。瞚偏瞚又作瞬，同音舜。交食按俞樾讀交為徼，下同。券內按說文券契也。去願切。此字从刀，舊讀為卷，是以為从力之券也，誤，下同。

期費按俞樾讀期為綦。唯庸按唯讀為雖。唯賈按唯如字。與物且者按章太炎讀且為阻。憯七坎反。黬徐於減反。司馬云烏簟反。李烏感反。按讀為黬。說文雖皙而黑也。古咸切。

披然按披讀為詖。脆胲脆音毗。胲古來反。孫詒讓讀為胲。偃於晚反。又於建反。

蹍女展反。鷔五報反。媪於禹反。辟必領反。又婢亦反。按必領反是讀為屏字也，故訓為除。

勃本又作悖，同必妹反。佷音良，崔又音浪。介者音界，又古黠反。崔本作兀。移畫敕紙反。又音他。又與紙反。本亦作移。復謵復音服。徐扶又反。謵音習。

徐無鬼第二十四

第一段徐無鬼見魏武侯，又分兩節，前一節言武侯久不聞真人之言；後一節言人君苦民自養之病，及為義偃兵之害。兩節陳義不同，而皆以勞君為說，又似一事而兩記者。逍遙遊載鯤鵬變化，前後兩節略同，馬敘倫謂後節衍文，此篇則非其比。形固造形至無藏逆於得凡六句，文義難解，似有譌脫，不復強釋。

第二段黃帝問、小童答，分兩層，前謂自放任，後謂去害馬。此段陳義甚淺，當非莊生原文。

第三段世態紛淆，人事萬變，各有所囿，逐物而不反，所以可悲。

第四段莊子難惠施，謂天下有公是，而各是其是，未足為道。爨鼎造冰，今化學之士皆优為之。鼓宮宮動，鼓角角動，凡物根動數相同者，則鼓之彼此互應，今物理家知之矣。改調一弦，則餘弦盡變，所謂五音不同，旋相為宮，而以一音為之君也，凡習弦樂者知之矣。是魯遽之學近於今世之科學家，與莊子之論道哲理者異端，故莊子訊之。下舉齊人蹢子等五事，以明人各自是，不知其非，五訊事各別，前人或合釋之，非是。

第五段莊子過惠子之墓，嘆知音之難得。莊子書中多訊毀惠子，而於其死後則深致感嘆，蓋惠雖與莊異端，然亦未達一間，概乎有聞者也，是以嘆質之死無可言也。

第六段桓公問管仲誰可屬國，見治國者不可以賢臨人。

第七段吳王射狙，戒人無以色驕人。

第八段南伯子綦嘆自有自賣之可悲。

第九段到仲尼之楚，證不道之道，不言之辯。仲尼之言至有喙三尺止，下是莊子發明孔子之義。

第十段子綦悲其子之食肉，蓋非分之來，原屬不祥，至人之所泣也。

第十一段許由將逃，言仁義賢知不足利天下，而反賊天下，與駢拇篇同。

第十二段暖姝、濡需、卷婁，皆非知道。此第一節，此下又分十二節，每數句即陳一義，殆莊子之徒集莊緒論，附於卷尾者。本段文字多費解者，茲亦不復強加訓說。

音三

掔 苦田反。又口閑反。 超然 按超讀為怡。 藜藿 上力西反。下徒弔反。 踉 按音良。

跫然 郭巨恭反。徐苦江反。李曲恭反。又祛局反。又曲勇反。 謦欬 謦苦頂反。又音罄。欬苦愛反。又音一音器，下同。 芧栗 音序，又食汝反。 麗譙 麗如字。又力智反。力支反。譙在遺反。

大隗 五罪反。按今讀為塊。 閽 音昏。 瞀 莫豆反。郭音務。司馬讀曰眊。 誶 音信，又音祟，峻。又音

蹢子 呈亦反。 鈃 音刑，徐户挺反。 蹢闔者 按蹢讀為諵。 岑 七金反。徐在林反。又語審反。

堊慢 堊烏路反。慢郭莫干反。徐莫旦反。 聽而斲之 按聽讀去聲。

鉤亦作枸，音同，又音俱。狙七徐反。蓁徐市巾反。音側巾反。一搔素報反。

我必賣之彼故鬻之按釋文賣無音。鬻音羊六反。是讀賣為買賣之賣，从出从買也。今讀賣，說文

衒也，衒者行且賣也。今人多言賣買，古人多言賣。鬻今正讀余六切。歅音因，李烏鷄反。又音烟。

捆音困，又口本反。宎字又作窔，烏弔反。徐烏了反。覕郭薄結反。向芳舌反。又甫莅反。又普結

反。又初栗反。暖姝暖、呼爰反。又呼晚反。姝昌朱反。濡需濡音儒。又音如。需音須。

卷婁卷音權。煬郭音羊。徐餘亮反。楊今讀為養。堇音謹。郭音覲。徐音靳。廱徐於

容反。本或作揰，音同。揚搉音角。又若學反。

則陽第二十五

第一段王果稱公閱以抑彭陽之進趨。

第二段聖人無名無己，與時偕行。

第三段魏瑩與田侯牟約歷舉諸人之議論，以見人世戰爭之無謂。

第四段孔子論市南宜僚，戒人以闇默自藏。

第五段柏矩學於老聃，而悲憫辜人。三代而下，政皆罔民，讀柏矩言，令人悲痛，倘能以責人之心責己，則盡道矣，所謂一人己也。

第六段蘧伯玉情隨時遷，未始有極，見是非之無定也。

第七段生死難知，而無可逃，亦惟有任其本然而已。

第八段仲尼問靈公之謚。以靈公之謚出於自然，是石槨之銘，真前知矣。然老子謂前識者，道之華而愚之首，以莊子之睿知，豈信此哉。則記此莊徒之陋，其諸方士流亞邪。

第九段以治禾喻治性情，不宜鹵莽滅裂。

第十段少知問於大公調，所問略分數層，一丘里之言，二道，三萬物所生起，四評莫為或使一家之主張。本篇以此段為重要。

眉注：

聖人與天地並生，萬物一體，本無可名，而人強以達綢繆、能愛人等名名之，若知若不知，皆其性然也。猶高台縣眾間，能不為人所見聞乎？聖人與其偕行而不替，故湯取法乎眾而不囿，要在破除時間方所耳。此段陳義甚豐，而略可貫通，然亦不必強為之說也。舊皆以為一章，故亦不復細析。

音：

擉初角反。又敕角反。郭音鑡。徐丁六反。一音捉。睗音踢。綢繆上直周反。下亡侯反。。

草木之緡民忍反。徐音昏。。抶其背敕一反。郭又猪栗反。筦音管，本亦作管。

嗃許交反。玉篇呼洛反。又呼教反。。呹音血，又呼悅反。耰音憂。滄浪按滄浪乃餐之或體，

七安切。舊音孫，又作飡，誤也。孽魚列反。萑音丸。疽七餘反。疥音界。

癰按音癕。溲所求反。子手子手按舊讀如字，俞樾讀子為嗞。弢吐刀反。

騫起虔反。狶本亦作豨，同虛豈反。又音希。郭音郗。李音熙。湛樂丁南反。李常淫反。

濫徐胡暫反。或力暫反按奚侗讀為鑑。史鰌音秋。所搏獘搏音博。獘郭作弊。徐扶世

反。司馬音藏。有所拂扶弗反。又音弗。又音弼。撟起居表反。又音焉，下同。

徧於其理徧徐音篇。

外物第二十六

第一段言外物不可必。

第二段言人心沉溺於利害，其害如火之烈。

第三段車轍之鮒，緩不濟急，喻事須當理。

第四段任公子釣巨魚，喻小知不及大知。

第五段儒以詩禮發冢，見學術雖美，末流因以為奸，此殆墨家非儒口吻。

第六段老萊子戒仲尼去矜。

第七段神龜見殺，喻神知之不足恃。本段末有嬰兒能言兩句，與上下文皆不貫，未知何文錯簡，誤植於此。或說與上段合，喻自然而善。

第八段以地之廣大，喻無用之用。

第九段言尊今尊古皆有所失，應通徹空虛，任運而遊。人生於世，不外流遁與決絕，或尊古、或尊今，此皆有所執著不知，苟有執著，耳聰目明，皆足為害，此應寄心空虛，是謂天游，即佛說所謂應無所住而生其心也。

第十段德名謀知，皆人事變易，效有高下，各行其是，不相為謀，皆自然耳。

第十一段慕賞而孝，至於毀死，見人世情偽，波蕩傷性。

第十二段言忘言之效。

音：

大絯。音駭。又音該。又胡待反。　大槐。按舊讀如字，今讀為塊。　螴蜳。螴郭音陳。又徐敕盡反。蜳郭音惇。又柱允反。徐敕轉反。李餘準反。司馬讀曰忡融。　敃。武巾反。李音昏。又音泯。

月。按舊讀日月之月，今讀肉。　繢然。音頹。又呼懷反。　犗。郭古邁反。徐音界。　蹲。音存

會稽上古外反。下古兮反。　期年。音基　鎰。音隘　鬐求夷反。李音須。　腊之

音昔。　制河諸設反。依字應作浙。漢書音義音逝。　輇才七全反。又視專反。又音權。

揭其列、其竭二反。　累本亦作纍。力追反。　趣本又作趨、同七須反。　鯢五兮反。

臚傳力於反。一音盧。　濡而朱反。　陂彼宜反。　壓釋文作擪、同乃協反。郭於琰反。又敕頰

反。　顑許檻反。　稚直追反。　趨下音促。　鶩按馬敍倫讀為務、下同。　窶其矩反。

余且余音預。子餘反。　且　元君　覺古孝反。　刳口孤反。　鑽左端反。古亂反。又

筴初革反。　廁足音側、又音測。　而塹之七念反。　火馳按孫詒讓讀為火馳。

哽庚猛反。　跈女展反。本或作蹍、同。　殷如字、一音於靳反。　脃按吳汝綸讀為危。

重閬重直龍反。閬音浪。　勃谿音奚。馬敍倫讀為悖謑。　誸音賢。郭音玄。向本作弦。

銚鎒銚七遙反。又他堯反。鎒乃豆反。　揃搣揃子淺反。本作揃、子斯反。徐子智反。搣本亦作娍、

音滅　駴户楷反。徐音戒。按今讀駭。　紽他徒何反。　踆音存　窾音款。又音科。

踣徐芳附反。普豆反。　荃七全反。　踶大兮反。

寓言第二十七

前人或以寓言首段為莊子自述者，近人多不然之，然此篇實論述著書方法，謂之敘例，亦無不可。（前人多以天下篇為莊徒所撰，今人則以為自序。）姚鼐謂上篇末段荃者云云應與本文合。又以齊物論何謂和之以天倪八十四字移此文天均者天倪也之下，總為一章。今按姚說文義首尾相貫，雖以意移合，未有他證，然實足以助讀者之理解，事或然也。寓言比量也，重言聖教量也，卮言現量也，卮者圓酒器，以喻其義圓融精博，故莊子自謂和以天倪，因以曼衍自然有分，圓融也；因應無窮，精博也。前人或以卮言為燕閒諧語，無關輕重，可謂傎矣。

自莊子謂惠子曰至篇末皆發明修學養知，與時遷進之狀，又分數節：第一節以孔子之六十化，證變化出於自然，非知力所為。第二節以曾子祿仕，繫情於親，證其化而非化。第三節子游九變至於大妙。第四節以生死終始，證無命無鬼。第五節罔兩問景，證變而有待。第六節陽子居聞老聃之教，變而至道。外雜各篇多輯錄莊子緒言，不相貫串，未若此篇一義相生者。前人推重此文，有以也。

音：

卮言音支。李起宜反。天倪音宜。徐音詣。蘁音悟。又五各反。不洎其器反。

鸛本亦作觀。同古亂反。人據按章太炎讀為徵勘。括古活反。搜本又作叟。同素口反。又素刀反。又音蕭。按劉申叔讀為訣。奚稍按奚侗讀稍為肩。夫子行不閒音閑，一音如字。按奚侗讀為間斷之問，是從一音也。

睢睢盱盱睢郭呼維反。徐許圭反。盱香于反。又許吳反。又音虛。

讓王第二十八

本篇發明重生輕祿之義。老子曰：貴以身於為天下，乃可以託天下，即此文所本也。凡分十八段，歷舉堯、舜、大王以至夷齊之事為證，前人多謂此下四篇莊徒所益，非莊本有，理則然矣，然精義美詞何其富也。屠羊反肆，貪天功者媿矣；顏回辭仕，給飦粥者慰矣；孔子弦歌於陳、蔡，處離亂者可以自解矣；夷齊笑武王之埋盟，世之捭闔之徒可以廢然自返矣。雖然皆亂世之事、而非治世之言，作此文者，其有憂患邪？三復讀之，於我心有戚戚焉。

眉注：

蘇子瞻欲去讓王以下四篇，而以陽子居西遊於秦，合於列御寇篇之列子之齊，中道而返為一章，雖避席與餽漿，其

事有相似者，然一明变而至道，一明無感無求，固不必為

一章，蘇說未必然。

音二

善卷眷勉反。居阮反。又音眷。 捲捲乎音權。郭音眷。 邠筆貧反。 攫俱碧反。俱縛

反。又史號反、下同。 土苴土敕雅反。又片賈反。行賈反。又音如字。苴側雅反。又知雅反。

捬心徐音撫。 佚樂音逸。 屠羊說說音悅。或如字。 茨徐疾私反。 中紺

古暗反。 華冠胡化反。 縰所綺反。或所賣反。 腫噲古外反。徐古活反。按章太炎讀為積

飦粥飦之然反。字或作饘。一云紀言反。一音干，謂干餅。粥之六反。又音育。 愀七小反。徐在九反

。又七了反。子了反。又資酉反。李音秋。 未能自勝音升。下同。 則從按從讀為縱。

下同。 椮素感反。 憊皮拜反。 隘音厄。又於懈反。 削然如字，亦作稍，音消。

扢然許訖反。又巨乙反。魚乙反。 椆水直留反。又作椆水，徐音同。又徒董反。又音封，本又作稠

，司馬本作洞。 數同 音朔。

盜跖第二十九

馬通伯莊子故序謂，太史公稱漁父、盜跖以詆訾孔子之徒，以明老子之術，今盜跖直詆孔子，又無所謂明老子之術，其為贋決也。是今本盜跖又非史公所見之盜跖矣。世或以盜跖見稱於史公，因認為真者，得馬說可以曉然矣。

此文設為盜跖折難孔子之詞，孔子與柳下季不同時，季與跖亦非昆弟，其為寓言審已。而世淺見之流，以其詞鋒之利，猶稱道以為快，迂儒則又痛惡而深絕之，苟知其為寓言，則亦何勞為之抑揚哉。然其中害理過激之詞，不一而足，豈莊子立言圓融之比，後人偽羼決已。第二段滿苟得輕名重利，與列子楊朱篇義畧同。第三段見知足者常足，與列子力命篇義畧同。

音〻

掘本作搰，尺朱反。徐苦滑反。按今從徐讀。　大山音泰。　膾古外反。　傲古堯反。

瞋赤真反。徐赤夷反。　激古歷反。按章太炎讀為敫。　菹苦居反。下同。　磔竹客反。

說其志意說音悅。　亟紀力反。　嘁聚按孫詒讓讀聚為驟。　王季為適丁歷反。

嗛苦簟反。　侅徐音礙。為代反。又户該反。　馮音憤。按今讀憑，下同。

醮在遙反。

說劍第三十

本篇義見於題，然所說天子、諸侯、庶人之劍，陳義甚淺露，故前人皆以為偽。

音〻

太子悝苦回反。　募音慕。又音務。　說王說如字。又音悅。　語難難如字，又乃旦反。

設戲按馬叙倫讀戲為麾。　敦劍敦如字，一音丁田反。　鐔音淫。三蒼云徒感反。徐徒南反。又徒各反。　夾古協反。一本作鋏同。

漁父第三十一

設為孔子與漁父問答之詞。孔子入世，漁父出世。入世故勞形傷身，以求有濟。出世故葆形存真，以貴其生。陳義僅此，故前人以為偽。然其詞雅暢，非秦以後人所能為也。孫覺謂此篇較盜跖、說劍諸篇為勝，其說是也。

音：

揄袂　揄音遙。又音俞。又褚由反。李音投。又士由反。袂面世反。李音芮。　飾禮樂　飾如字，本又作飭，音敕。　杖拏　拏女居反。司馬音饒，下同。　咳　苦代反。　謂之總　按章太炎讀總為儳。

善否　否悲美反。又方九反。　早湛　丁南反。　旁車　步浪反。

列御寇第三十二

第一段列御寇感於饗之先饋，發明無感無求之理。見保於人，是為善而近名矣，故警人以之為戒也。

第二段鄭緩以儒為利，而使弟墨，是有心陷弟，終令相賊，是逆天之刑也。緩自是而非人，亦是近名之害。

第三段聖人安其所安，至而不知大寧，每數句為一節，各明一義，殆莊子緒言，其徒雜集之者。

第四段曹商自夸得車事，愈下得愈多，喻人世之可鄙。此段立言卑淺，決非莊言。

第五段顏闔以仲尼為飾偽，不足以視民。

第六段言施而不忘，猶有近名之心，不免於刑。

第七段人心難知，觀以九徵。

第八段以正考父之恭，見凡夫之妄。

第九段賊莫大乎德有心，至達小命者遭，亦雜集莊子緒言者。

第十段以探驪得珠，喻事君之危。

第十一段以見犧衣繡，喻生之可貴。

第十二段達生死之情，故知厚葬之非。此段明載莊子將死，則此篇為莊子徒所集審已。

第十三段明不及神，人不及天，以證循順自然之功效。不平者不平等之事也，不徵者無徵諭之說也，明者自恃其知，神者循順自然，明者人為，神者天成，故明不及神，愚者自恃其所見，遁天殉人，鶩功於外，終已無成，故可悲也。

音二

𩟄，子祥反。本亦作漿。司馬云：讀為漿。　不解音蟹，司馬音懈。　形諜徒協反。按孫詒讓讀為渫。

鼈子兮反。朱泙漫泙李音平。甘瞑音眠。黄馘古獲反。徐況璧反。

痤徂禾反。舐又作䑛。食紙反。圾魚及反。又五臘反。愿音願。懁音環。又許沿

反。徐音絹。釬胡旦反。又音干。吡匹尔反。又芳尔反。按孫詒讓讀爲吡。偃佒於丈反。

亦作央同。傀郭徐呼懷反。字林公回反。

天下第三十三

天下篇者，莊子一書之自叙也。古人著書，每以自叙殿諸書尾，孟、荀、史、漢皆然，莊子此篇亦猶是也，而說者或以文中列述各家自許過當，疑非出莊子之手，而為莊徒所稱道，不知立說創道，成一家言，必有其獨至之精神，苟伈伈俔俔濡需謙遜，則先不自信，何以信人乎？揚己抑人，不自貶損，固古今人同具之心理也，況莊子旨義通內聖外王符契於大惪，中土哲理之書，殆無有過乎此者，自處真人之上，殆非夸矣。

第一段總論學術之分合。以下列敘各家不及孔、顏者，儒家以治平為事，其說在詩書六藝，所謂外王之事，莊子之書重在內聖，故遂略之。又以儒書說在中國時有稱道，亦猶史記所謂世多有其書，故不為之傳也。而說者以謂莊子推尊孔子，故不列之諸家之中，其說非也。

第二段墨翟、禽滑釐之學說。墨子治世之用多，論道之說絕少，故僅以為才士，未及與聞大道者也。

第三段宋鈃、尹文之學說。禁攻、寢兵為外，謂外王也。情欲寡淺為內，謂內聖也。略聞於道，故上於墨。

第四段彭蒙、田駢、慎到之學說。齊物兩可，與莊子之說極近，故近人某君竟以說莊子齊物論為慎到所著者，不知莊子之齊物在寓庸以明非，泯然兩可者，其訕慎到為死人，則莊子固不以死人自處也，學術之辯，毫釐千里，若某君可謂不察矣。

第五段關尹、老聃之學說。莊子之說出諸老子，然有不同者，老子恬退守雌，內聖處多，莊子循順義命，不自外於人世一也；老子以退為進，近於權術，莊子悲閔天人，廓然大公二也；老子之世，亂尚未極，故以小國寡民為尚，莊子生於戰國，目覩兼併之禍，故言極深切三也。故莊子雖推尊老聃，而不以老自限也。舊說謂莊於老無貶詞，然誤引江南李氏本，可謂至極，作雖未至極，是莊於老亦有微詞也已。

第六段莊周之學說。莊子之所以外死生、齊是非者，在求得宇宙之原、人生之本，是故曰其於宗也，可謂稠適而上遂矣。莊子平列各家，其說已與說他人無異，他人既各有所優劣，己獨無所失乎？他人論者固不若自知之明，莊子以為己之學說，其於應化解物猶有未盡，此非自謙，蓋道體自然，本有不可盡知者也。故郭注謂為拜昌言，亦何嫌乎此也。

第七段　惠施、辯者之學說。

至大無外，以下、至氾愛萬物，天地一體也，為惠施之說。卵有毛以下、至一尺之棰，日取其半，萬世不竭，為辯者之說。天地所以不墜不陷，風雨雷霆之故為，黃繚所問，惠施所答。凡此數十事，皆物理、化學、生物、天象、地文，今人所謂科學者近之。當時所釋雖不必與真理合，然亦必有可觀者，惜乎僅存其目，不得與希臘諸詭辯家同為世所稱道矣。中土上道下器，故惜其駘蕩不返耳。天下篇以惠施為殿，外之於道也，亦以自異於辯者，而後世說者，猶以莊子為善辯，何其厚誣莊子邪。

按本篇歷評百家，至於莊周，則垂一已亦述之矣，此下不應更列他家，是惠施一段，似屬後人附益。且以上數家皆有古之道術，有在於是者，某某聞其風而說之，此獨無有，是詞氣亦不類。北齊書杜弼傳：弼嘗注莊子惠施篇，是莊子本有惠施一篇，其文佚闕，郭象取其殘語，附之卷末，而為之注，後人不察，連上文一貫讀之，詞義遂不可通，而曲為之說，殊無謂也。

眉注：

莊子雖稱道詩、書、六藝，然僅謂其為數度，不謂之為道術，則何尊崇之有。

胡遠濬謂衆等但知任物，而不知自有真君，其說亦是。

音：

史尚按馬敘倫讀尚為掌。聞其風而說之按舊音悅，今從馬敘倫說讀如字，下同。

大轂郭苦角反。徐戶角反。按馬敘倫讀為轂抵之轂。稾耜舊古考反。崔郭音託。字則應作槖。耜音

似。九雜九音鳩。本亦作鳩。腓音肥。又符畏反。胈步葛反。又甫物反。又符蓋反。

褐戶葛反。跂其逆反。蹻紀畧反。倍譎倍郭音佩。又裴罪反。譎古穴反。訾音紫。

觭偶紀宜反。又音寄。仵音誤，徐音五。宋鈃音刑。徐胡泠反。郭音堅。胼本作胼。

崔音而。郭音耳。按今從闕，誤作胹，蓋即輭字，皆從而得聲也。聒古活反。泠汰泠音零。汰音

泰。徐徒蓋反。謑髁謑胡啟反。又音奚。又苦迷反。髁戶寡反。郭勘禍反。輐斷輐五管反。又

胡亂反。又五亂反。徐胡管反。竅況逼反。又火麥反。魭斷五管反。又五亂反。按以音考之，是魭與軏同。觭見音羈。徐起宜反。瓌古回反。連犿本亦作忭，同芳袁反。又音獾。又敷晚反。裯適音調。本亦作調。方晲音詣。柢丁計反。倚人，本或作畸，同紀宜反。隩烏報反。駘李音殆。

後語

三十四年五月二十九日錄畢耕研記

時寓寶應芮宅之牡丹亭，家中方遭遇暴客，心緒甚為不寧，勉力錄成，心為一慰。

後記

初從大陸攜來先父遺著多種，未能詳加研讀，不知內容，匆忙中僅以自認爲已可成書之范氏隱書、呂氏春秋補注、南獻遺徵箋及莊子詁義四輯，先行刊印。而此輯著於抗戰末期，生活困苦，先父節儉，稿紙係學校中已用過之講義，利用其反面書寫，其中又多眉注及刪改，誤以爲信手寫來尚未定稿之作，遂未以爲意棄而未顧。後乃知亦爲研究莊子之學，當初如能較爲細心，則前印之詁義雖不完全，然得與此輯互補，應可免詁義之殘破遺議。

此輯之稿每多眉注補充新義，實無能整理，幸賴任明藻兄鼎力相助，轉託王玉麟先生校訂，利用公餘抽暇重新抄錄、加注標點，始敢付印。繼又有感於玉麟先生之字體工整、排列美觀，更能全篇一律絲毫不苟，可與印刷比美。經獲允諾卽以之照相排版，庶免校勘之累，並爲玉麟先生勞心之紀念，謹於此深表萬分崇敬與感謝之意。

唯玉麟先生獨力校訂、抄錄完成業已近年，余僅負責行政作業，竟然一再覊延迄今，尤覺愧對玉麟先生。實爲次子肇宏今夏於美國賓州州立大學獲工程碩士學位後，返臺與臺南永康李府之女美惠結褵；因長子肇嘉仍於美攻讀博士學位中，且尚未婚，故其所獲之碩士於吾范家已屬高學位；婚配典禮於遷臺之第二代中又係首次，實屬大事。是以心情久久未伏，影響所及，進度緩慢矣！望玉麟先生諒之。

此期間又爲整理江都焦理堂先生年表，得讀焦徵先兄事略述及理堂先生哲嗣虎玉先生爲其父整理遺著不懈之精神，悚然而驚，感且愧矣。自覺不能與虎玉先生比。蓋先父曾嘆讚其「……卓然大雅，不媿名父之才子也。……」余胸無點墨，何堪此任？身爲人子又責無旁貸，雖年逾花甲，惟體仍健，而虎玉先生能「……棄產治病……病中校閱父書，未肯少怠，且自喜病解，校閱益勤」，致「心血久虧，醫藥無功……」而余爲先父出書，則一派瀟灑，未訂進度，致成牛步化。爲此深自警惕，爾後應較積極，始能慰先父生前努力讀書之精神也。

仍用高明教授之總序，謹於此再度拜謝。若無任明藻兄轉介王玉麟先生鼎力之助，則此書又不知何時能成，自應深謝之。

民國八十年十二月江蘇淮陰范　震恭記

於臺北市信義區林口街93號三樓
電話：（〇二）七二八五一五二·八九五六三〇〇

國立中央圖書館出版品預行編目資料

蘦硯齋襍著兩種／范耕研著. --初版. --臺北市: 文史哲, 民81
面; 公分。
ISBN 957-547-122-9 (平裝)

1. 莊子-批評，解釋等

121.337 81001627

蘦硯齋襍著兩種
——莊子章旨 莊子音

著者：范耕研
校繕者：王玉麟
出版者：文史哲出版社
登記證字號：行政院新聞局局版臺業字五三三七號
發行人：彭正雄
發行所：文史哲出版社
臺北市羅斯福路一段七十二巷四號
郵撥〇五一二八八一二彭正雄帳戶
電話：三五一一〇二八
印刷者：長達印刷有限公司
臺北市西園路二段五〇巷四弄二一號
電話：三〇四〇四八八
中華民國八十一年四月初版

ISBN 957-547-122-9